DERRIÈRE LA HAINE

BARBARA ABEL

DERRIÈRE
LA HAINE

Fleuve Noir

*Mille mercis à Jean-Paul qui,
à l'autre bout du monde,
m'a été d'une aide précieuse.*

Laetitia avait réussi un créneau parfait. Du premier coup. Ce qui, pourtant, n'adoucit pas son humeur.

— Éteins ta Nintendo, Milo, on est arrivés, dit-elle machinalement.

Sur la banquette arrière, le petit garçon était rivé à son jeu.

La jeune femme sortit de la voiture tout en s'emparant de son porte-documents, du cartable de Milo, de deux sacs de courses... Plus de main pour ouvrir la portière à l'enfant : d'un coup de coude au carreau, elle lui signifia qu'elle ne l'attendrait pas.

— Grouille-toi, Milo, je suis chargée comme une mule !

— Attends, je dois sauvegarder !

L'inconfortable posture de Laetitia fit frémir la soupe, l'indolence de son fils y déversa un litre de lait bouillonnant.

— Milo ! asséna-t-elle sèchement, parce que le créneau était bien la seule chose qui se soit déroulée sans encombre ce jour-là. Tu sors de cette voiture tout de suite ou tu es privé de Nintendo pendant une semaine.

— C'est bon ! soupira-t-il sans pour autant quitter sa console des yeux.

Il fit glisser ses fesses jusqu'à l'extrémité de la banquette, mit un pied sur le trottoir et s'extirpa avec mollesse du véhicule.

— Et ferme la portière, si ce n'est pas trop te demander !

— Laetitia ! l'interpella derrière elle une voix qui la figea sur place. On peut parler quelques instants ?

Elle se retourna. Tiphaine se tenait là, à quelques mètres à peine, en tenue de jogging. Elle était en nage, le visage luisant après l'effort qu'elle venait de fournir, quelques mèches de cheveux collées sur son front. Le souffle court, elle attendit une réponse qui ne vint pas puis, détournant les yeux, elle s'approcha de Milo dont elle ébouriffa la tête.

— Ça va, mon grand ? lui demanda-t-elle gentiment.

— Bonjour, Tatiphaine ! lui répondit l'enfant avec un lumineux sourire.

Excédée, Laetitia les rejoignit en deux enjambées, saisit son fils par le bras d'un geste ferme et le fit passer derrière elle.

— Je t'interdis de lui adresser la parole, siffla-t-elle entre ses dents.

Tiphaine encaissa l'attaque sans broncher.

— Laetitia, s'il te plaît... On peut parler ?

— Milo, rentre à la maison ! lui intima sa mère.

— Maman...

— Rentre, je te dis ! le somma-t-elle d'un ton qui ne souffrait pas la discussion.

Milo hésita puis, la mine boudeuse, se dirigea vers sa maison. Dès qu'il se fut éloigné, Laetitia revint sur Tiphaine :

— Je te préviens, espèce de malade mentale, si je te vois encore une fois tourner autour de lui, je t'arrache les yeux !

— Écoute, Laetitia, si tu n'arrives pas à comprendre que je n'ai jamais voulu...

— Tais-toi ! murmura-t-elle en fermant les yeux en signe d'intense exaspération. Épargne-moi tes excuses à deux balles, je n'y crois pas une seconde !

— Ah non ? Et qu'est-ce que tu crois, alors ?

Laetitia la toisa d'un regard glacial.

— J'ai très bien compris ce que tu cherches à faire, Tiphaine. Mais je te préviens : la prochaine fois qu'il arrive quoi que ce soit à Milo, j'appelle les flics !

Tiphaine parut sincèrement étonnée. Elle dévisagea Laetitia d'un air interrogateur, hésitant sur le sens à donner à ses paroles. Puis, comme si elle comprenait soudain que rien ne pourrait la faire changer d'avis, elle soupira sans cacher la douleur que l'attitude de son interlocutrice instillait en elle :

— Je ne sais pas dans quel délire parano tu es en train de sombrer, Laetitia, mais ce qui est sûr, c'est que tu es complètement à côté de la plaque. S'il te plaît, essaie de me croire un tout petit peu. Et si tu ne veux pas le faire pour moi, fais-le pour Milo. Parce que là, tu es en train de le détruire à petit feu...

À ces mots, Laetitia haussa un sourcil narquois tandis qu'une lueur de cruauté traversait sa pupille, comme un éclair zébrant un ciel d'orage.

— C'est vrai que tu t'y connais, toi, dans la manière de détruire un enfant, articula-t-elle d'un ton presque suave.

La gifle partit avant même que Laetitia n'ait eu le temps de la voir venir. Elle avait à peine prononcé le mot « enfant » que la main de Tiphaine s'abattait sur sa joue dans un claquement sonore. La jeune femme accusa le coup, le regard exorbité. Au bout de ses deux bras, les sacs de courses et le reste pesèrent plusieurs tonnes, qu'elle lâcha pour porter la main à sa joue, interdite.

11

— Tu n'as pas le droit ! fulmina Tiphaine en retenant ses larmes, comme pour justifier son geste.

L'espace d'un instant, les deux femmes se firent face, prêtes à se jeter l'une sur l'autre. Et c'est peut-être ce qui se serait produit si un cri n'avait mis un terme à cet affrontement chargé de haine.

— Laetitia !

Du pas d'une des maisons, celle dans laquelle Milo était entré quelques instants auparavant, un homme surgit avant de les rejoindre. David saisit aussitôt Laetitia par les épaules et la fit passer derrière lui dans un geste protecteur.

— Elle vient de me gifler ! glapit-elle, encore sous le choc de l'agression.

— Certaines allusions font parfois plus de mal qu'une gifle, balbutia Tiphaine, elle-même affolée par la tournure qu'avait prise la confrontation.

David tourna vers elle un regard dur, cherchant ses mots avant de pointer un doigt menaçant dans sa direction.

— Cette fois, tu as été trop loin, Tiphaine ! On va porter plainte.

Celle-ci serra les dents, dissimulant mal la tornade de sentiments qui faisait rage en elle. Il lui fallut quelques secondes encore pour reprendre le contrôle de ses émotions puis, ses sanglots ravalés, elle hocha la tête d'un air entendu :

— Comme tu voudras, David. Tu vois, la grosse différence entre nous désormais, c'est que moi, je n'ai plus rien à perdre.

Après avoir ramassé les sacs éparpillés sur le trottoir, David entraîna Laetitia jusqu'à leur maison, dont il referma vivement la porte derrière eux. Restée seule, Tiphaine tremblait de tous ses membres, et elle dut attendre un moment encore avant de prendre le même chemin.

Elle s'arrêta devant la porte de la maison mitoyenne, sortit ses clés de la poche de son jogging et rentra à son tour chez elle.

Sept ans plus tôt

Chapitre 1

— Santé !

Trois bras levés au bout desquels deux coupes de champagne et un verre d'eau s'entrechoquaient à l'unisson. Éclats de rire, regards entendus, hochements de têtes et sourires complices. Puis David et Sylvain sirotèrent à petites gorgées, et le champagne pétilla au fond des gosiers. Laetitia, quant à elle, reposa sa boisson sans autre forme de procès, puis caressa un ventre aux rondeurs éloquentes.

— Tu n'as pas bu une seule goutte d'alcool depuis le début de ta grossesse ? s'enquit Sylvain.

— Pas une goutte ! répondit Laetitia avec fierté.

— Ma femme est une sainte, se moqua gentiment David. Tu n'imagines pas tout ce qu'elle s'inflige pour donner à notre fils le meilleur départ dans la vie : pas d'alcool, pas de sel, pas de graisse, très peu de sucre, légumes cuits à la vapeur, fruits à volonté, pas de viande rouge, beaucoup de poissons, yoga, natation, musique classique, dormir tôt...

Il soupira. Avant d'ajouter :

— Depuis six mois, notre vie est d'un ennui !

— Je ne suis pas une sainte, je suis enceinte, c'est différent, rétorqua Laetitia en châtiant son mari d'une claque sur la cuisse pour ses propos narquois.

— Sans compter qu'elle me bassine avec ses principes d'éducation... Pauvre gosse ! Je peux te dire qu'il ne va pas rigoler tous les jours !

— Vous parlez déjà de la manière dont vous allez l'élever ? s'étonna Sylvain.

— Et comment ! affirma Laetitia avec le plus grand sérieux. Ce n'est pas quand on sera face aux problèmes qu'il faudra commencer à réfléchir à la manière de les régler.

— Et... vous parlez de quoi ?

— De tout un tas de choses : faire équipe, ne jamais se contredire devant l'enfant, pas de bonbons avant 3 ans, pas de Coca avant 6 ans, pas de Nintendo avant 10 ans...

Sylvain émit un sifflement impressionné.

— Je pense qu'on va vite lui faire comprendre que, si la vie est trop dure chez vous, il pourra toujours venir chez nous !

David consulta sa montre.

— On aurait peut-être dû attendre ta douce moitié avant de trinquer, dit-il à Sylvain. Elle va nous en vouloir.

— Absolument pas. D'abord parce qu'elle déteste le champagne, ensuite parce qu'elle n'avait pas envie de stresser et de nous faire attendre. Elle... elle est un peu fatiguée, ces jours-ci.

— Au fait... Pourquoi du champagne ? demanda Laetitia. Une petite bouteille de vin aurait bien fait l'affaire.

La question prit Sylvain de court. Visiblement à la recherche d'une raison plausible, il bredouilla deux « ben... », un « parce que... » et un « tu comprends... ».

— Non, je ne comprends pas, répliqua aussitôt Laetitia qui s'amusait beaucoup de l'embarras de son ami.

Embarras qui lui mit la puce à l'oreille : une bouteille de champagne n'a pas besoin de raison pour être offerte, encore moins pour être bue... Ou plutôt si ! On apporte une bouteille de champagne quand on a une bonne nouvelle à annoncer !

Laetitia observa Sylvain d'un œil suspicieux, sentit l'anguille sous la roche, s'apprêta à ferrer le poisson. Puis, soudain, elle comprit.

— Elle est enceinte ! hurla-t-elle en se redressant dans son fauteuil.

— Hein ? bégaya Sylvain, de plus en plus mal à l'aise.

— Vous allez avoir un enfant ? s'écria à son tour David, le sourire radieux.

— Non ! s'exclama Sylvain. C'est-à-dire que... En fait...

La sonnette de la porte d'entrée le sauva d'un marasme à présent inéluctable. Laetitia sauta sur ses pieds et, le ventre en avant, se pressa vers le hall.

— Félicitations ! cria-t-elle avant de disparaître.

— Ne lui dis rien ! supplia Sylvain. Elle m'avait fait promettre de l'attendre pour vous annoncer la nouvelle.

Puis, tournant vers David un regard consterné :

— Elle va me tuer !

David éclata de rire et se leva à son tour pour embrasser son ami.

— Bienvenus au club ! Ça fait combien de temps ?

— Trois mois.

Quand Laetitia ouvrit la porte d'entrée, elle était tellement heureuse qu'elle irradiait de mille feux.

— Ma chérie ! explosa-t-elle dans un éclat de rire. Nos enfants vont grandir ensemble, c'est merveilleux !

Puis, sans lui laisser le temps de réagir, elle se jeta dans les bras de Tiphaine.

Chapitre 2

Plus tard, à l'évocation de cette soirée, la première chose qui revenait à la mémoire de David, c'est la perfection de l'instant, l'incroyable bonheur qui transpirait de chaque regard, chaque geste, chaque mot échangé. Les projets d'avenir, les promesses et les rires, et puis cette sensation d'évidence, qu'une famille se choisit plus qu'elle ne s'impose, et aussi qu'il avait enfin trouvé son port d'attache, lui, l'orphelin qui avait grandi sans amarre. L'enfant largué, trimballé de familles d'accueil en foyers, sa difficile progression sur le chemin escarpé de l'existence, le précaire équilibre entre le bien et le mal, cent fois perdu, cent fois repris de justesse, pour finir repris de justice et repartir de zéro.

Retour à la case départ.

Sa case départ, c'était elle, Laetitia. Et le têtard qu'elle couvait dans son ventre. Son p'tit crapaud à lui. Le fils auquel il allait donner tout ce qu'il n'avait jamais reçu, qu'il allait prendre par la main pour lui montrer le bon chemin. Il disait « le bon chemin » parce qu'à ses yeux « le droit chemin » n'existe pas, c'est un leurre, un mirage qu'on fait miroiter aux enfants pour les faire rentrer dans le rang. Ne pas dépasser. Ne pas se faire remarquer. Marcher droit devant, baisser la tête, ne pas regarder sur le côté.

Tu parles !

Rien n'est droit dans l'existence. La vie ressemble à un immense terrain accidenté, parsemé d'obstacles, de virages et de détours, une sorte de labyrinthe bourré de pièges dans lequel la ligne droite n'existe pas.

Le plus court chemin entre deux points ?

Celui qu'on connaît.

Mais quoi que l'on fasse, quels que soient les jalons que l'on pose, au bout de la route on trouve toujours la même chose.

C'est ce que pensait David.

Du moins avant de rencontrer Laetitia.

Lui, il fit comme tout le monde, il prit l'unique chemin qui se présentait, un pont suspendu au milieu d'un abîme, sans repères, sans garde-fous. Sans les deux barrières de sécurité qui l'auraient conduit avec patience et amour jusqu'au versant de l'âge adulte.

Alors, il tomba.

Dans la petite délinquance d'abord. Cannabis à 13 ans, coke à 15, à peine adolescent et déjà dans les starting-blocks pour la course au fric, les plans foireux, les mauvaises fréquentations. Ensuite, ce fut la spirale infernale. Les larcins cédèrent la place aux délits plus graves : braquages, cambriolages avec effraction, agressions.

Deux ans de maison de correction.

Une fois dehors, une première tentative pour regrimper sur le pont et poursuivre sa progression. David se raccrocha à ce qu'il pouvait, pas grand-chose en vérité, quelques bouts de corde qui cédèrent très vite, mais surtout des planches pourries. Terrain glissant, dérapage, il replongea pour quatre autres années, en prison cette fois, pour vol à main armée.

Ce fut en sortant de ce second séjour carcéral qu'il se fit une promesse : ne plus jamais y retourner. Après s'être hissé une nouvelle fois sur le pont, il se mit à avancer, coûte que coûte : d'abord en rampant (plongeur dans un restaurant chinois pour se payer une chambre de bonne à 300 euros par mois, sans eau chaude ni chauffage, toilettes sur le palier, cafards sur les murs). À genoux ensuite (chauffeur de bus, une autre chambre de bonne mais plus spacieuse, avec eau chaude et chauffage, toujours sans toilettes, mais sans cafards). Et puis, petit à petit, il se redressa, testant son équilibre à chaque étape, un pied après l'autre, sans forcer. Cela prit quelques années.

À 27 ans, il était technicien de surface dans un hôpital et louait un studio avec salle de bains.

C'est là qu'il croisa la route de Laetitia. À l'hôpital, pas dans son studio ni dans sa salle de bains.

Son parcours à elle, ce fut plutôt une nationale bien lisse, bien goudronnée, serpentant à travers un paysage bucolique avec du vert un peu partout, quelques arbres fruitiers, une ou deux collines à gravir, et puis des prés, des champs à perte de vue. Un horizon bien dégagé. Jusqu'à ce que ses deux barrières de sécurité se fassent faucher par un camion.

Ça s'était passé durant la nuit, celle qui quitte le dimanche pour conduire au lundi. Et en parlant de conduire, c'est bien de cela dont il s'était agi. Ses parents rentraient d'une soirée entre amis, oh ! pas bien tard, il était à peine minuit... Sur la nationale précisément. Il pleuvait, bien que ce détail n'ait pas grand intérêt... L'histoire en soi non plus d'ailleurs, ce fut un accident comme on en voit tant, le mauvais endroit au mauvais moment, victimes de ce que Laetitia appellerait plus tard les trois « ca » : un carrefour, un camion, un carambolage.

Sa mère était morte sur le champ. Ce n'est pas une expression, la voiture ayant fait une embardée, elle fut projetée vers l'avant et son corps atterrit dans le champ voisin. C'est là qu'elle décéda, presque sur le coup.

Son père en revanche survécut une semaine. Une semaine entre la vie et la mort, que Laetitia passa à son chevet, ne quittant sa chambre qu'à de rares occasions pour rentrer chez elle dormir quelques heures, prendre une douche et se changer.

Et pour rencontrer David.

Dès qu'il la vit, à l'instant même où il posa les yeux sur elle, ce fut le coup de foudre : elle était assise dans le couloir pendant que son père passait sur le billard, et malgré son visage ravagé par le chagrin, ses yeux rougis par les larmes et son nez irrité par trop de mouchoirs, il ne put s'empêcher de la trouver ravissante, touchante, éprouvant l'irrépressible envie de lui tendre la main pour l'aider à surmonter cette épreuve et peut-être l'accompagner quelques instants sur le chemin du deuil.

Les mois suivants furent étranges pour Laetitia. L'insondable douleur d'avoir perdu ses parents livrait une bataille sans merci à la plus enivrante des émotions, celle d'aimer follement. Enfant unique, n'ayant désormais pour seule famille qu'un oncle lointain et deux cousins germains qu'elle n'avait plus revus depuis l'enfance, elle saisit la main que David lui tendait comme on attrape une bouée de sauvetage lorsqu'on est seul au milieu de l'océan. Au début, elle ne sut pas trop où tout cela allait la mener, entre la corrosive culpabilité de désirer cet homme qu'elle avait rencontré au chevet de son père mourant, penser à lui au lieu de pleurer ses parents, se surprendre à sourire, à rêver... Lui en vouloir pourtant d'être là, comme s'il cherchait à la détourner de son chagrin et le détester pour ce qui, en vérité, lui faisait tant de bien.

Impasse, sens unique, détours et mauvaises directions, ils piétinèrent ainsi quelque temps avant de prendre la décision d'avancer, essayer du moins, et faire ensemble un bout de chemin.

23

Dix-huit mois plus tard, ils emménagèrent dans la maison des parents de Laetitia, celle de son enfance, qu'elle ne pouvait se résoudre à vendre ni à louer. Impossible d'imaginer des étrangers prendre possession de ces murs qui abritaient la plupart de ses souvenirs et l'histoire de sa famille. Et comme elle n'avait plus de famille, pas plus que lui d'ailleurs, ils décidèrent de s'en construire une. La leur.

Ce nouveau départ-là, David y crut, dur comme fer. Ils étaient sur la bonne voie, ça ne faisait pas un pli, ensemble ils allaient gravir des montagnes, marcher main dans la main et faire un beau voyage !

Pour la première fois depuis longtemps, David envisagea l'avenir avec confiance, si ce n'est qu'il omit un simple détail : quoi que l'on fasse, quels que soient les jalons que l'on pose, au bout de la route on trouve toujours la même chose.

Chapitre 3

David et Laetitia Brunelle firent rapidement la connaissance de Tiphaine et Sylvain Geniot. Ils avaient sensiblement le même âge, la trentaine décontractée, étaient voisins et leurs jardins n'étaient séparés que par une simple haie. Très vite, David constata que Sylvain écoutait King Crimson, Pink Floyd ou Archive, des groupes que lui-même affectionnait, tandis que Laetitia sauva littéralement Tiphaine de la catastrophe culinaire un soir où celle-ci n'avait plus d'huile d'olive. Elle lui prêta donc sa bouteille « première pression à froid », que Tiphaine lui rendit le lendemain matin. Laetitia lui proposa une tasse de café, Tiphaine accepta, inaugurant ainsi un rituel auquel elles ne dérogeraient bientôt pour rien au monde.

Les deux couples se reniflèrent ainsi durant quelques semaines, avec prudence d'abord, plus franchement ensuite. Puis ils devinrent amis.

Leurs maisons étaient identiques, tant à l'extérieur que dans l'agencement des pièces : vues de la rue, elles se composaient chacune d'une façade blanche, d'une porte en bois verni et d'une large fenêtre au rez-de-chaussée, de deux autres plus étroites à l'étage, d'un toit incliné agrémenté d'une tabatière. Et aussi d'une cheminée qui, d'un côté comme de l'autre, n'était plus en service. À l'arrière, les deux maisons possédaient une terrasse qui donnait directement sur un jardin tout en longueur, s'étirant sur presque vingt mètres. Celui des Brunelle était planté d'une simple pelouse que David tondait de temps à autre. Celui des Geniot en revanche avait été conçu et agencé avec beaucoup de soin et non moins de goût par Tiphaine, qui était horticultrice et travaillait à la pépinière de la ville : massifs de fleurs, plantes aromatiques et grimpantes, buissons et arbustes se partageaient un espace qui resplendissait de couleurs et de senteurs à chaque saison. Il y avait même au fond du jardin un petit potager dont Tiphaine s'enorgueillissait sans gêne ni fausse modestie.

Au bout de quelques mois, les deux couples devinrent véritablement inséparables. Leur voisinage ajoutait encore à une complicité que chacun appréciait à sa juste valeur. C'était tellement facile de se voir, quelques minutes sur le pas de la porte ou toute une soirée à manger, boire et rire, partager ses opinions, écouter de la musique ou refaire le monde...

Puis, lorsque Laetitia et Tiphaine tombèrent enceintes à trois mois d'intervalle, leur bonheur fut total.

Milo Brunelle poussa son premier cri un mardi en fin d'après-midi, déclenchant le déluge d'émotions qui allait s'abattre sur le cœur et la vie de ses parents. Dès le lendemain, Tiphaine et Sylvain vinrent admirer le nouveau-né. Laetitia tendit son tout petit bébé à son amie, qui le prit avec précaution...

— Ouh, que c'est petit !

... Puis elle le serra délicatement contre son ventre. Du bas de ses « moins trois mois », le fœtus, toujours confortablement lové dans le ventre maternel, s'agita instantanément au contact de Milo comme s'il cherchait déjà à communiquer avec cet ami qui, bientôt, deviendrait pour lui plus qu'un frère.

Enfin Maxime Geniot arriva. Un matin, après treize heures de travail. Une douleur fulgurante qui transperce le corps de part en part, des cris inutiles qui n'atténuent pas la souffrance, devenant chaque seconde plus intense. « Je n'en peux plus, faites que ça s'arrête, pitié », et la promesse qu'on ne l'y reprendra plus, que c'est le dernier...

L'enfant naquit avec l'aurore. La mère se tut, le père aussi, recouvrant leurs esprits, tous deux les yeux rivés sur l'enfant, émus, comblés, ravis.

Cette journée-là fut épuisante. Les deux familles des jeunes parents, avides d'être les premières à admirer le nouveau-né, accoururent à l'appel du papa : parents, frères et sœurs, sans oublier conjoints et bambins, chacun se pressant autour de la maman pour lui prodiguer conseils, commentaires et compliments.

David et Laetitia furent plus discrets. Ils s'enquirent de l'état de Tiphaine par téléphone avant d'envahir la petite chambre, le lendemain, et de s'extasier devant le bébé.

C'étaient de vrais amis.

Et puis surtout, ils venaient de passer par là.

Le soir même, tandis que les deux femmes pouponnaient, l'une à la maternité, l'autre à la maison, David emmena Sylvain faire la tournée des bars. Ils trinquèrent à Maxime, puis à Milo, à leurs femmes, à leur amitié, à l'avenir, et tant qu'à faire, au monde, aux beaux jours qui s'annonçaient, aux pères merveilleux qu'ils ne doutaient pas un instant de devenir... Ils burent beaucoup, ils burent longtemps et parlèrent tout autant.

Était-ce l'alcool, la fatigue, le trop-plein d'émotion ? Ivre d'un peu tout cela, Sylvain finit bientôt par s'épancher, révélant à David tout un tas de choses : ses opinions sur le couple, la famille, l'éducation des gosses, comment il allait s'y prendre avec Maxime, conférant à son rôle de père une importance capitale. Il serait vraiment présent, lui, attentif, à l'écoute, compréhensif, bienveillant, pas comme son propre père qui avait toujours été là mais qui râlait à propos de tout : les mômes, le bruit, la musique, les fast-foods, les jeux vidéo, les copains... La vie, quoi ! Un handicapé de la vie, c'était tout à fait ça ! Et de la communication par la même occasion ! Incapable d'émettre un avis sans critiquer. Parce que tout était mieux avant. De son temps.

— Son temps, c'était le même qu'aujourd'hui mais en plus chiant ! s'exclama-t-il en butant sur les mots.

— Et aujourd'hui, tu t'entends bien avec ton père ? s'enquit David pour qui le sujet était encore sensible lorsqu'il pensait à ses propres parents, surtout depuis la naissance de Milo, mesurant à quel point un bébé était vulnérable, fragile et désarmé.

Et la question lancinante qu'il se posait, petit, revenait le hanter depuis qu'il était à son tour devenu père : comment pouvait-on abandonner son enfant ?

Ignorant les tourments de son ami, Sylvain haussa les épaules, le regard vague.

— J'ai fait mon deuil de la complicité paternelle, il a fait le sien de la perfection filiale. On se débrouille avec ce qu'on a. Et on ne s'en plaint pas.

David hocha pensivement la tête. Lui aussi avait relevé le défi d'être le meilleur des pères, même si, à l'inverse de Sylvain, il n'avait aucun point de comparaison.

Les deux hommes restèrent un moment sans rien dire. Puis, réalisant qu'ils sombraient tous deux dans un abîme de pensées moroses, David offrit une nouvelle tournée et changea de sujet :

— Comment vous êtes-vous rencontrés, Tiphaine et toi ? Vous êtes toujours restés mystérieux sur le sujet...

La question prit Sylvain de court. Durant quelques secondes, il considéra David, interloqué, comme si celui-ci avait fait preuve d'une indécente curiosité.

— C'est une sale histoire, lâcha-t-il dans un murmure.

— Quoi ?

David crut avoir mal entendu. Il se mit à rire, à la fois perplexe et intrigué, avant de dévisager Sylvain pour tenter de déceler la plaisanterie dans l'attitude de son ami.

L'œil sombre, Sylvain triturait son verre en contemplant fixement le liquide pourpre comme s'il y découvrait un drame.

— Laisse tomber, finit-il par grogner.

David n'insista pas. Partagé entre la curiosité dévorante que suscitait cette singulière réaction et l'embarras qui planait entre eux, il prit le parti de se taire. L'alcool distendait le temps, conférant aux circonstances un climat insolite, entre malaise et incompréhension. Sylvain, lui, ne bronchait plus. De plus en plus mal à l'aise, David consulta sa montre.

— 3 heures ! On ferait mieux de rentrer...

Il s'extirpa de son siège, perdit l'équilibre, se récupéra en prenant appui sur le dossier de sa chaise où il avait posé sa veste, s'en saisit et entreprit de l'enfiler.

— C'était il y a cinq ans, grommela Sylvain qui n'avait toujours pas bougé. À l'époque, Tiphaine était pharmacienne.

— Hein ?

David s'immobilisa, déconcerté. Sylvain leva vers lui un regard noyé de détresse, mâchoire contractée et lèvres pincées.

Lentement, David se rassit.

Chapitre 4

— Mon meilleur ami s'appelait Stéphane. Stéphane Legendre. On se connaissait depuis l'enfance, on avait pratiquement grandi ensemble, presque comme deux frères ; entre nous, c'était à la vie, à la mort. Stéphane avait brillamment réussi ses études de médecine et venait de s'installer comme généraliste. C'était quelqu'un de très sûr de lui, assez imbu de sa personne, plutôt beau mec, le genre qui ne doute de rien et certainement pas de son charme... Un con ! Mais c'était mon pote. Un jour, en fin d'après-midi, il m'appelle, complètement affolé. Trois jours plus tôt, il avait prescrit à l'une de ses patientes un médicament dont le dosage des composants était clairement nocif pour les femmes enceintes. Or sa patiente l'était, de trois mois environ. Il avait « oublié » de lui poser la question. Et elle, elle ne s'en était pas inquiétée, le style « confiance aveugle » : si le docteur a prescrit ce médicament, c'est qu'il faut le prendre. Résultat des courses, deux jours plus tard, la veille donc, elle perdait le bébé. Son gynéco a tout de suite fait le lien entre la fausse couche et le médicament et s'est aussitôt mis en contact avec Stéphane. Pris de court et de panique, il a nié avoir prescrit ce dosage-là, affirmant que la posologie indiquée sur la prescription était sans danger pour le fœtus. Le ton est monté, les menaces ont fusé : attaque en justice, dommages et intérêts et tout le bataclan. Il venait de raccrocher, là, à l'instant, je sentais qu'il était en train de perdre les pédales, il se voyait déjà coupable d'une faute professionnelle grave, condamnation, lourdes indemnités, interdiction d'exercer la médecine et peut-être même peine de prison...

Sylvain s'interrompit quelques instants, se mordillant la lèvre inférieure avant de reprendre :

— Il m'explique que la seule chose qui l'incrimine directement, c'est l'ordonnance. Et moi, comme un con, je lui demande : « Donc pas d'ordonnance, pas de preuve ? » Il confirme. C'est simple. Il suffit de la récupérer et de la remplacer par une autre indiquant la posologie appropriée. Il suffit de... Plus simple à dire qu'à faire ! Et le duplicata ? Stéphane m'assure qu'il s'en charge. Avec l'adresse de la patiente, on repère les pharmacies dans lesquelles elle est susceptible d'avoir acheté le médicament. Il y en a deux. Je me rends dans la première, celle qui se trouve juste à côté de son domicile. Je ne sais pas très bien ce que je vais y faire, le temps presse, si l'ordonnance est l'unique preuve de la culpabilité de Stéphane, il y a fort à parier qu'elle sera au centre de toute l'affaire. Peut-être même est-il déjà trop tard... Je décide d'improviser. En attendant mon tour, je repère les lieux, j'observe la pharmacienne, ses faits et gestes. Justement, elle s'empare de l'ordonnance du client qui me précède, lui donne son médicament et range le papier dans un tiroir. C'est maintenant mon tour. J'invente un mal de gorge, je lui demande son avis, elle me conseille d'aller voir un médecin, je ricane, je lui fais part de ma méfiance vis-à-vis du corps médical. « Tous des charlatans, vous y allez pour un mal de gorge, ils vous décèlent un cancer de la prostate ! » Ça la fait rire et je me dis qu'elle est bien jolie quand elle rit... Elle me vend un spray pour la gorge, je paie et je sors.

Sylvain soupira, haussa les épaules et poursuivit :

— C'est bientôt l'heure de la fermeture. Je joue le tout pour le tout, je retourne à la pharmacie, je lui dis que la gorge, ça va beaucoup mieux, merci, mais que maintenant, j'ai très envie de l'inviter à prendre l'apéro dans le petit bar, à côté. Elle rigole, elle hésite, je lui dis : « Juste l'apéro », elle me conseille d'appeler un pote, je ricane, je lui fais part de ma méfiance vis-à-vis des potes, « Tous des profiteurs, vous leur offrez l'apéro, ils vous réclament un repas », ça la fait rire encore plus et je me dis qu'elle est vraiment très jolie quand elle rit.

Silence. Regret. Ou peut-être remords.

David réclama la suite :

— Tu as pu récupérer la prescription ?

Sylvain acquiesça.

— Pendant qu'elle se changeait et récupérait ses affaires dans l'arrière-boutique. Avant de disparaître, elle m'a dit : « J'en ai pour une minute. » Tout s'est passé très vite, je n'ai pas réfléchi, je suis allé derrière le comptoir et j'ai fouillé dans le tiroir. Je me souviens, je comptais dans ma tête en égrenant les secondes et je me suis donné jusqu'à 60. À 60, j'abandonnais. Trop risqué. Et puis, rien ne disait qu'il s'agissait de la bonne pharmacie, mais la chance était avec moi. Je l'ai retrouvée assez rapidement, elles étaient classées par date et j'ai tout de suite reconnu l'écriture de Stéphane. Je possédais l'autre ordonnance, celle que Stéphane aurait dû prescrire à la patiente. J'ai même eu la présence d'esprit d'y appliquer le cachet de la pharmacie rangé sur le comptoir à côté de la caisse. J'ai fait l'échange, j'ai tout remis en place, ni vu ni connu... Entretemps, Stéphane s'était rendu chez la patiente, pour la voir, parler avec elle, tenter de comprendre ce qui s'était passé... Et échanger les duplicatas. La pauvre femme n'y a vu que du feu, il a dû sortir le grand jeu et elle est tombée dans le panneau. En partant de chez elle, il n'existait plus aucune preuve contre lui.

— Et après ?

À nouveau, Sylvain marqua une pause. On sentait qu'il en avait lourd sur la conscience. Que les mots qu'il s'apprêtait à prononcer, même s'ils évoquaient un passé vieux de cinq années, étaient aussi dévastateurs qu'un poison violent.

— C'est la pharmacienne qui a été condamnée pour faute professionnelle grave. La prescription innocentait Stéphane, mais, du coup, le dosage indiqué ne correspondait plus au médicament qu'elle avait vendu à la patiente. Le problème c'est qu'entretemps, j'avais continué à la voir. Elle me plaisait de plus en plus et je suis tombé amoureux d'elle. Vraiment amoureux. J'étais englué dans une spirale infernale. Au début, je n'avais pas pensé aux conséquences que mon geste allait avoir pour elle, et quand j'ai réalisé que je l'avais mise dans un sacré pétrin, j'ai fait pression sur Stéphane pour qu'il prenne ses responsabilités. Bien entendu, ce connard a refusé de se mouiller. Je l'ai menacé de tout révéler, ce qui m'impliquait également dans l'affaire, et je te jure que je m'en foutais complètement. J'étais prêt à payer. Mais je savais aussi que j'allais la perdre. Cette idée m'était insupportable. C'était la femme de ma vie. Et plus le temps passait, moins il m'était possible de lui avouer ce que j'avais fait.

Étranglé par l'émotion, que les effets de l'alcool ravivaient et amplifiaient, Sylvain se tut.

— Que s'est-il passé ? demanda David d'une voix douce en posant la main sur l'épaule de son ami.

Celui-ci mit quelques secondes avant de pouvoir répondre.

— Je te l'ai dit, elle a été condamnée pour faute professionnelle grave, elle a dû payer des indemnités à la patiente et elle a perdu sa licence. En fait, elle a tout perdu.

— Et toi, qu'est-ce que tu as fait ?

— Je suis resté avec elle et je l'ai aidée à traverser l'épreuve. Dans un premier temps, je lui ai prêté l'argent pour payer, ensuite j'ai refusé qu'elle me rembourse. On s'est mis en ménage, elle a suivi une formation d'horticulture, le temps a passé, elle a remonté la pente, on a changé de ville et on a atterri ici. Le pire, je crois, c'est qu'elle me voue une reconnaissance sans bornes. Parfois, elle me dit que toute cette histoire de procès, bien sûr que ça a été dur, avec la culpabilité et l'incompréhension de ce qui s'était passé, mais que finalement, sa vie d'aujourd'hui lui plaît tellement plus que celle d'avant, que...

Sylvain s'interrompit une nouvelle fois, tentant de maîtriser les sanglots qui se pressaient dans sa gorge...

— Ce qui est sûr, c'est que j'ai une dette envers elle, ajouta-t-il en reprenant le contrôle de ses émotions. Une dette dont je ne parviendrai jamais à m'acquitter. Quoi que je fasse. Elle peut tout me demander. Absolument tout.

David ébaucha un triste sourire.

— Et ton pote Stéphane ? demanda-t-il encore.

Sylvain secoua la tête et répondit :

— On a définitivement coupé les ponts. Nous tenons chacun le destin de l'autre dans notre main. Il peut briser ma vie, je peux anéantir la sienne. Nous sommes désormais néfastes l'un pour l'autre.

— Et Tiphaine ? Elle ne sait toujours rien ?

— Si nous sommes ensemble, c'est qu'elle ne sait rien.

— Tu crois vraiment qu'elle te quitterait si elle savait ?

Sylvain planta un regard torturé dans celui de David.

— Je suis certain qu'elle me quitterait, qu'elle m'interdirait de revoir mon fils et qu'elle passerait le reste de son existence à tenter de détruire la mienne.

David afficha un rictus signifiant que les craintes de Sylvain lui semblaient exagérées. Aussitôt, celui-ci rétorqua d'un ton implacable :

— Tu ferais quoi, toi, à sa place ?

En guise de réponse, David ébaucha une tentative de réflexion qui, très vite, aboutit aux mêmes conclusions, ou du moins à des conséquences similaires. Loin de satisfaire Sylvain, cet accord tacite le plongea dans un profond désespoir.

Cette fois, ils se turent tous les deux.

Si le récit de son ami avait complètement dessaoulé David, Sylvain au contraire semblait se noyer dans les affres de l'alcool. David en prit conscience et décida de mettre un terme à cette soirée de révélations fracassantes. Après s'être levé et avoir contourné la table, il saisit son ami par la taille, passa son bras autour de ses épaules et le guida jusqu'à la voiture.

Une fois dans l'habitacle, tout en bouclant leurs deux ceintures, il brisa le silence sans cacher une certaine rancœur :

— Pourquoi tu m'as raconté tout ça ?

Celui-ci haussa les épaules comme si cette histoire ne le concernait plus.

— Peut-être pour prendre le risque qu'elle l'apprenne un jour par quelqu'un d'autre... Moi, j'ai déjà essayé de le lui dire, je n'y suis jamais parvenu.

David eut un mouvement d'humeur. Il mit la clé sur le contact, puis se tourna vers Sylvain.

— Désolé, mon vieux, mais faut pas compter sur moi pour mettre les pieds dans cette affaire-là. Si tu veux qu'elle sache, tu devras lui en parler toi-même !

Le lendemain de cette étrange soirée où le bonheur avait côtoyé le drame, alors que David sortait de chez lui pour se rendre au travail, Sylvain l'apostropha sur le seuil de sa porte :

— Tu as le temps pour un café ?

David hésita, consulta sa montre et pénétra finalement chez son voisin. Ils n'abordèrent le sujet qu'une fois installés à table :

— Je tenais à m'excuser pour hier soir, attaqua d'emblée Sylvain. Je... J'étais bourré, je n'ai pas mesuré à quel point je te mettais dans une sale situation en te racontant tout ça...

— Laisse tomber, le rassura David en lui adressant un sourire compréhensif. On avait bu. Beaucoup trop. On devient con quand on boit.

— Pas seulement quand on boit, grommela Sylvain dans un murmure.

David esquissa un sourire entendu.

— En ce qui concerne ce que je t'ai dit dans la voiture... poursuivit Sylvain cette fois à haute voix... S'il te plaît... N'en tiens pas compte.

— De quoi tu parles ?

— Promets-moi que tu ne lui diras jamais rien ! Tout ça doit rester entre nous. Je ne sais pas pourquoi je t'ai raconté ça, sans doute que la naissance de Maxime a fait ressurgir toute cette histoire et que, l'alcool aidant, j'avais besoin de vider mon sac... Je n'ai pas fermé l'œil de la nuit et...

— Je te l'ai dit, l'interrompit David, je n'ai absolument pas l'intention de m'en mêler. Nous sommes amis, n'est-ce pas ?

Sylvain ne put s'empêcher de ricaner.

— Justement, la dernière fois que j'ai eu un ami, ça ne s'est pas très bien terminé...

— Écoute, Sylvain. C'est vrai que j'aurais préféré ne rien savoir. Mais c'est trop tard. On n'en parle plus, d'accord ?

Sylvain hocha la tête.

— Et Laetitia ? s'enquit-il encore.

— Quoi, Laetitia ?

— Tu...

— Certainement pas !

— Merci.

Carnet de santé

6-7 mois

Votre enfant passe son jouet d'une main à l'autre depuis : 4 mois 1/2.

Votre enfant cherche à s'asseoir lorsque vous l'aidez. Depuis quel âge ? 5 mois.

Tourne-t-il la tête pour déterminer la source d'un bruit ? Oui.

Quand ils sont fatigués, les enfants le manifestent. Quels sont les signes de fatigue chez votre enfant ?

M. s'agite beaucoup et pleure à la moindre contrariété.

Entrée de M. à la crèche à 6 mois. Début de rhume, quelques quintes de toux sans gravité et fort espacées.

Notes du médecin :

Poids : 9 kg 580. **Taille :** 74,5 cm.

Muguet : appliquer Daktarin gel 4 X/jour après le repas.

Rhume non compliqué : surélever la tête du lit, bien moucher le nez avec Physiomer bébé, appliquer Nesivine baby, 1 goutte dans chaque narine 3 X/jour, maximum 5 jours.

Chapitre 5

Pendant les mois qui suivirent, on ne parla plus que de bébés. Les mères se confiaient leurs tracas, leurs doutes et leurs joies...

— Il a les fesses rouges et il a beaucoup pleuré cette nuit. Tu crois que je dois l'emmener chez le pédiatre ?

— Il a de la fièvre ?

— 37,6.

— Tu peux être sûre qu'il fait ses dents.

... tandis que les pères s'épaulaient dans cette terrible épreuve d'abandon et de chasteté forcée.

— Ça te dit un billard, ce soir, chez Simon ?

— Tu parles que ça me dit ! Je passe te prendre à 20 heures ?

— Ça marche !

On allait chez les uns donner le biberon ou la purée, puis chez les autres prendre l'apéro, se changer les idées, se plaindre des nuits trop courtes. On se dépannait d'une couche ou d'un suppositoire, on se confiait son bébé le temps d'une course ou parfois même, délice suprême, d'une courte sieste. La vie avait pris le rythme lancinant de l'émerveillement quotidien avec le regret non avoué d'une liberté qui appartenait désormais au passé.

Ce fut lors du premier anniversaire de Milo que David et Laetitia se jetèrent à l'eau :

— On va sans doute faire baptiser Milo...

— Vous êtes catholiques ? s'étonna Sylvain.

— Moi oui, David non, avoua Laetitia.

Sylvain tourna vers son ami un regard perplexe. Celui-ci se contenta de hausser les épaules en levant les yeux au ciel.

— Le fait est que nous n'avons plus de famille, ni l'un ni l'autre, expliqua Laetitia. Je ne vais plus à l'église depuis bien longtemps et c'est vrai que j'ai mis ma foi de côté ces dernières années. Mais...

Elle s'interrompit et soupira.

— Je ne veux rien imposer et surtout pas mes convictions religieuses, poursuivit-elle, embarrassée. Mais je sais que mes parents auraient aimé que leur petit-fils soit baptisé, et même s'ils ne sont plus là aujourd'hui, j'aimerais respecter ce souhait. Nous en avons beaucoup parlé, David et moi, et...

— C'est bon, s'exclama Tiphaine. Tu n'as pas besoin de te justifier. Si tu veux faire baptiser ton fils, baptise-le ! Je ne vois pas où est le problème.

Laetitia posa sur son amie un regard reconnaissant.

— Je... Tu... Tu es baptisée, toi ? lui demanda-t-elle.

— Non, pourquoi ?

La réponse de Tiphaine sembla décevoir Laetitia.

— Et... si je te le demandais, tu te ferais baptiser ?

— Bien sûr que non ! s'écria Tiphaine. Je ne crois absolument pas en Dieu ! C'est quoi, cette question ?

David intervint :

— Tu exagères, Laetitia... Laisse tomber.

Un silence embarrassé s'installa durant quelques secondes.

— Que se passe-t-il ? s'enquit Sylvain. C'est quoi, le problème ?

— Je crois comprendre... murmura Tiphaine en dévisageant son amie.

Celle-ci soutint son regard avec tant d'espoir qu'elle suspendit son souffle.

— On peut m'expliquer ? insista Sylvain qui, lui, ne voyait pas du tout de quoi il retournait.

Tiphaine soupira.

— C'est d'accord, répondit-elle sans quitter Laetitia des yeux.

Le visage de cette dernière s'éclaira, puis elle poussa un cri de joie et se jeta dans les bras de son amie. Sylvain se tourna vers David.

— Tu captes quelque chose, toi ? Parce que si c'est le cas, je veux bien qu'on m'éclaire !

— Ta femme vient officiellement d'accepter d'être la marraine de Milo, répondit-il sur un ton d'excuse. Le problème, c'est que, pour pouvoir être la marraine, elle doit elle-même se faire baptiser.

Chapitre 6

Ce ne fut que le lendemain que Tiphaine prit réellement conscience des conséquences de son engagement.

— Un an et demi ! Tu plaisantes ?

— Je sais, tempéra Laetitia. Ça paraît long comme ça, mais en vérité, au quotidien, ça ne te prendra pas beaucoup de temps et...

— Laetitia ! Je t'aime beaucoup et Dieu sait si je tiens à être la marraine de Milo (c'est le cas de le dire...) Mais ne me demande pas de suivre le catéchisme et toutes ces histoires à dormir debout ! Un an et demi de préparation spirituelle juste pour recevoir quelques gouttes d'eau sur la tête...

— Oh, pas seulement quelques gouttes ! s'exclama Laetitia avec une candeur désarmante. Pour les adultes, il s'agit d'une immersion totale.

— Raison de plus ! C'est au-dessus de mes forces. Et de toute façon, je n'y crois pas une seconde !

Laetitia garda le silence.

— J'ai envisagé cette éventualité, soupira-t-elle ensuite. Après ton accord, hier, je me suis documentée sur la marche à suivre pour se faire baptiser et j'ai découvert l'ampleur de la chose : participer au catéchuménat, suivre les différentes étapes liturgiques de l'initiation chrétienne avec toutes les phases que cela implique... Je m'attendais à ce que tu reviennes sur ta décision. Alors, je me suis renseignée : tu n'es pas obligée d'être baptisée si le parrain l'est. Tu serais donc sa marraine de cœur et, pour plus d'équité, nous organiserons également un baptême civil.

— Ça change quoi ?

— Pour nous, rien.

— Où est le problème, alors ?

— Il n'y en a pas.

Tiphaine hocha la tête avec satisfaction. Puis, comme si elle prenait la pleine mesure des paroles de Laetitia, elle demanda :

— Au fait... C'est qui, le parrain ?

— Ernest.

À la réflexion, Tiphaine ne fut pas étonnée d'entendre ce nom. Ou plutôt, elle fut surprise de ne pas y avoir pensé : Ernest était l'agent de probation de David, qui l'avait suivi depuis sa sortie de prison et considérablement aidé durant toute sa période de réinsertion. C'était un homme de 65 ans aux traits burinés par la vie et dont le caractère farouche était aussi affirmé que son franc-parler. Il fumait comme un pompier, jurait comme un charretier, et ses prises de position étaient aussi raides que son maintien : victime d'une prise d'otages provoquée par l'un de ses « clients » au début de sa carrière, il avait reçu une balle à bout portant dans le tibia, qui l'avait laissé infirme et rendu intransigeant envers tous les anciens détenus dont il avait la charge. Une fermeté dont avait bénéficié David, faisant office de barrière de sécurité pour ne plus retomber dans la drogue et la délinquance.

David lui devait beaucoup.

Au fil des ans, leur relation avait évolué vers un lien plus amical, fait de confiance et de respect mutuel. À présent, Ernest incarnait aux yeux de David ce qui se rapprochait le plus d'une figure paternelle. De son côté, le vieil homme n'avait ni femme ni enfants. Il vivait seul dans un studio qu'il louait à Paris dans le 20ᵉ arrondissement et tenait à sa solitude comme à la prunelle de ses yeux.

Intriguée, Tiphaine reprit :

— Ernest est baptisé ?

Laetitia acquiesça.

Tiphaine fit la moue.

— J'aurais pas cru.

Le baptême religieux fut célébré trois mois plus tard. Ce fut une cérémonie tout en modestie et simplicité. Hormis David et Laetitia, seules trois autres personnes y assistaient : Tiphaine, Sylvain et, bien entendu, Ernest, le parrain. Pour l'occasion, il s'était mis sur son trente et un, ce qui contrastait avec ses habitudes vestimentaires : vêtu d'un costume trois pièces qu'il n'avait de toute évidence pas mis depuis plusieurs années et dont la taille ne correspondait plus vraiment à ses mensurations, il avait davantage la sensation de s'être déguisé pour un mardi gras. Son maintien, entravé par l'étroitesse du complet, accentuait une certaine gaucherie à laquelle les circonstances n'arrangeaient rien. On le sentait tendu, embarrassé, avec le sentiment évident de ne pas être à sa place.

Le souhait de David de faire de lui le parrain de son fils avait pourtant touché son cœur de célibataire endurci.

— Les gosses, c'est pas trop mon truc, tu sais, avait-il rétorqué à David lorsque celui-ci lui avait fait part de sa volonté. Les couches, les biberons, les areu areu... j'y connais rien.

— Ce serait l'occasion...

Le vieil homme avait vaguement hoché la tête avant de demander quelques jours de réflexion. Durant deux semaines, il n'avait pas donné signe de vie. Puis, un

44

mercredi, en fin d'après-midi, il s'était présenté chez les Brunelle à l'improviste, une bouteille de vin dans une main, un nounours en peluche dans l'autre.

— C'est d'accord ! avait-il déclaré comme s'il venait d'accepter une mission périlleuse. Mais je vous préviens : faudra pas compter sur moi pour l'emmener au parc, jouer au baby-sitter ou lui lire les histoires niaises qu'on raconte habituellement aux gamins. C'est pas à mon âge qu'on commence à faire ce genre de conneries !

N'empêche : son nouveau statut de parrain lui avait fait porter un regard différent sur le petit garçon. Insensiblement, ses visites aux Brunelle s'étaient faites plus fréquentes, durant lesquelles, presque malgré lui, il multipliait les marques d'attention et d'affection envers l'enfant. Et lorsqu'un jour, Milo lui avait tendu sans mot dire le livre *T'Choupi à la ferme*, le vieux bonhomme avait réagi sans le maudire : il avait pris le livre tout en aidant le garçonnet à grimper sur ses genoux. Alors, de sa voix rude et rocailleuse, il lui avait lu l'histoire un peu niaise sans parvenir à dissimuler tout à fait le plaisir qu'il éprouvait à partager avec son filleul la simplicité du moment.

La voix du prêtre résonnait dans l'église dont les chaises, alignées sur une vingtaine de rangées, n'étaient occupées que par Tiphaine et Sylvain. Juste devant l'autel, David et Laetitia entouraient Ernest qui lui-même tenait Milo dans ses bras.

— Maintenant, je m'adresse à vous, parents et parrain. Par le sacrement du baptême, l'enfant que vous présentez va recevoir de l'amour de Dieu une vie nouvelle : il va naître de l'eau et de l'Esprit Saint. Cette vie de Dieu rencontrera bien des obstacles. Pour lutter contre le péché, pour grandir dans la foi, il aura besoin de vous. Si donc vous êtes conduits par la foi et si vous prenez la responsabilité de l'aider, je vous invite aujourd'hui, en vous rappelant votre baptême, à renoncer au péché et à proclamer votre foi en Jésus-Christ.

S'ensuivit le dialogue protocolaire entre le prêtre, les parents et le parrain, lesquels rejetèrent d'une seule voix le péché, le mal et Satan, avant de confirmer leur croyance en Dieu, Jésus-Christ, l'Esprit Saint, le pardon des péchés, la résurrection de la chair et la vie éternelle.

Enfin, Milo fut baptisé, non sans exprimer son mécontentement : l'eau était froide et l'église n'était pas chauffée.

Le baptême civil fut beaucoup moins solennel. Il se déroula la semaine suivante à la mairie, juste après les mariages et fut expédié par un maire pressé d'aller déjeuner. Tout comme Ernest avant elle, Tiphaine avait fait les frais d'une tenue de circonstance qui, à l'inverse de celle du parrain, lui allait à ravir. Étaient présents, outre les parents, la marraine, Sylvain, Maxime dans sa poussette et Ernest, l'officier d'état civil ainsi que, bien entendu, le maire chargé de la lecture de l'acte.

Celui-ci fit état de plusieurs engagements, parmi lesquels celui de prendre l'enfant sous sa protection. De veiller à ce que lui soit donnée une éducation indépendante de tout préjugé d'ordre social, philosophique et religieux. De l'élever dans le respect des institutions démocratiques. De développer en lui les qualités morales, humaines et civiques indispensables à un citoyen dévoué au bien public, à la sauvegarde de la liberté et animé de sentiments de compréhension, de fraternité et de solidarité à l'égard de ses semblables.

Tiphaine s'y engagea avec une gravité qui la surprit elle-même. Dans son cœur et son esprit, cette cérémonie était totalement superflue : à la seconde même où Milo avait poussé son premier cri, elle avait été sa marraine et aucun papier officiel n'y changerait ou n'y ajouterait quoi que ce fût. Pourtant, en écoutant les mots prononcés par le maire, le côté solennel de la chose l'émut plus qu'elle ne l'aurait imaginé. Et c'est d'une main légèrement tremblante qu'elle signa l'acte de parrainage civil.

À table, Maxime, 3 ans et demi, réclame de la grenadine.

Tiphaine le reprend :

— Et le petit mot magique ?

— S'il te plaît.

Tout en versant le sirop dans le verre, sa maman lui explique :

— Tu vois, comme ça, je te la sers avec plaisir.

— Et avec de l'eau ! précise Maxime.

Chapitre 7

Le dimanche est un jour consacré à la famille. Les uns subissent un déjeuner dominical auquel chacun rêve d'échapper mais que l'on perpétue avec abnégation. Pour faire plaisir aux parents. Et puis parce que c'est comme ça, sans quoi, on ne se verrait pas. C'est d'ailleurs la question que l'on se pose lorsque, sur le coup de 16 heures, on prend enfin la tangente parce que le lendemain il y a école et que, le temps de rentrer, tu comprends, il faut encore faire réciter ses leçons au petit dernier...

Pourquoi se voit-on ? En tout cas, pourquoi chaque dimanche ? On n'a plus rien à se dire, on n'est d'accord sur rien, on n'a pas fait les mêmes choix. Alors pourquoi s'impose-t-on cela ?

Question lancinante qu'on répète inlassablement sur le chemin du retour, agrémentée de remarques sur la tenue vestimentaire de la belle-sœur, les réflexions douteuses du neveu ado qui est sur la mauvaise pente, sans compter la surdité de ta mère, on ne peut pas dire que ça s'arrange, et puis je veux bien croire que le sel, c'est mauvais pour la santé mais ce n'est pas parce qu'elle doit faire attention à ses artères qu'on est obligé de manger un plat insipide !

On soupire, on râle, souvent même on se dispute...

Les retours en voiture après le repas du dimanche chez les (beaux)-parents, c'est l'engueulade assurée, le tirage de tête jusqu'au début de la soirée et la promesse que c'est la dernière fois, que la semaine prochaine, faudra pas compter sur moi !

Et puis, le dimanche suivant, on y retourne.

Parce que c'est comme ça.

Les autres, ceux qui n'ont pas de famille, du moins pas de famille chez qui se déplacer sur les routes de France et de Navarre, ceux-là restent chez eux et s'occupent de celle qu'ils sont en train de fonder. Jouer au train. Faire de la peinture. Ou de la pâte à modeler, c'est selon. Regarder un dessin animé, toujours le même, au point de connaître les dialogues par cœur, la bande son qui se répète chaque dimanche ; au début ça fait sourire, à la fin y en a marre, parce que Bob l'éponge, il a quand même une voix de con !

À croire que les dimanches ont été inventés pour que les couples se disputent. Les couples avec enfants, bien sûr. Avant, quand il n'y avait pas de gosses, le dimanche était le jour de la couette, réveil à midi, petit déj' à 13 heures, puis retour au lit pour une partie de jambes en l'air. Ensuite ça dépendait. Du temps. Promenade ou terrasse les jours de soleil, séance DVD les jours de pluie.

Mais ça, c'était avant.

N'y pensons plus.

C'est peut-être la raison pour laquelle, tous les dimanches, vers 17 heures, Tiphaine et Sylvain débarquaient chez David et Laetitia, la mine de travers et la querelle en bandoulière. Les Brunelle accueillaient leurs voisins avec soulagement, parce qu'un dimanche entier à pouponner, construire des châteaux en Kapla et jouer à Catacastor, surtout quand il y en a un qui s'y colle plus que l'autre, ça sème la discorde. Petits et grands se retrouvaient donc pour achever une longue journée d'active passivité, de coups d'œil sur une montre qui semble s'être arrêtée, et partager ensemble un goûter tardif ou un apéro anticipé.

Et comme ce dimanche-là il faisait beau, c'est sur la terrasse des Brunelle qu'on activa le sas de décompression.

— Samedi prochain, on organise un petit goûter pour l'anniversaire de Milo, déclara Laetitia en sortant les verres de l'armoire. Vous avez quelque chose de prévu ?

— C'est déjà la semaine prochaine ! s'exclama Tiphaine. Quatre ans... Ça passe tellement vite ! On a quelque chose de prévu, Sylvain ?

— Pense pas... grommela-t-il sans même la regarder.

Puis il sortit s'installer sur la terrasse.

— Vous vous êtes encore disputés dans la voiture ? s'informa discrètement Laetitia tandis qu'elle fouillait dans les tiroirs de la cuisine.

Tiphaine soupira en levant les yeux au ciel.

— Pffff... Dimanche prochain, ce sera sans moi !

— Tu dis ça toutes les semaines, pouffa son amie.

Puis, criant en direction de la terrasse :

— David, je ne trouve pas le tire-bouchon !

— Dans le tiroir, à sa place.

— S'il était à sa place, je ne te demanderais pas où il est ! rétorqua-t-elle d'un ton sec.

— Ça n'a pas l'air plus détendu chez vous, fit remarquer Tiphaine en chuchotant.

— Ne m'en parle pas, soupira Laetitia sans cacher son irritation. (Puis, en direction de la terrasse :) David, si tu veux du vin rouge, démerde-toi, moi, je ne trouve pas le tire-bouchon !

D'un pas agacé, David pénétra dans la cuisine et chercha l'objet. Sans plus de succès.

— Tu paries que Milo a encore joué avec !

— Pas de panique, intervint Tiphaine.

Passant la tête par la fenêtre de la cuisine qui donnait sur la terrasse, elle interpella son mari :

— Sylvain, tu veux bien aller chercher notre tire-bouchon à la maison ?

— Pourquoi tu n'y vas pas toi-même ?

— Sylvain !

Sylvain se leva de mauvaise grâce, fourragea dans les poches de sa veste, en sortit ses clés et se dirigea vers le hall d'entrée. À son passage, les deux femmes échangèrent un regard complice et réprobateur. Ensuite elles apportèrent le reste de l'apéritif sur la terrasse.

Lorsque Sylvain fut de retour, David déboucha la bouteille de vin, remplit son verre ainsi que celui de Tiphaine, puis ils trinquèrent, Laetitia avec un pastis, Sylvain avec un porto. Alors seulement, l'ambiance se détendit et l'on échangea quelques propos badins en oubliant ses griefs.

— Où sont les garçons ? s'enquit soudain Laetitia en réalisant qu'ils n'avaient pas été interrompus depuis bien longtemps.

— Là-bas, dans le fond du jardin.

Tiphaine lorgna dans la direction indiquée par son homme. Les enfants s'activaient à côté de la haie qui séparait leurs deux jardins.

— Qu'est-ce qu'ils fabriquent ?

— Un passage secret, déclara David. Hier soir, Milo m'a dit qu'ils voulaient aménager une ouverture dans la haie pour passer directement d'un jardin à l'autre.

— Ma haie ! se plaignit Laetitia.

— Ta haie, ta haie... C'est la nôtre autant que la vôtre, plaisanta Tiphaine.

Leur verre à la main, les quatre adultes traversèrent le jardin pour constater l'avancement des travaux. Parvenu à la hauteur des garçons, chacun y alla de sa petite réflexion :

— C'est peut-être pas l'endroit le plus indiqué pour faire un trou dans la haie...

— Au contraire ! S'ils veulent absolument bousiller la haie, autant que ce soit dans le fond, là où on ne la voit pas trop.

— À ce rythme-là, vous n'aurez pas fini avant l'hiver !

— Si, regarde ! s'exclama Maxime. On peut déjà passer.

Et pour prouver ses dires, il s'engouffra dans le renfoncement que Milo et lui avaient déjà dégagé, puis il se tortilla dans tous les sens en forçant un passage de toute évidence encore trop étroit.

— Arrête, Maxime ! s'écria Tiphaine. Tu vas abîmer la haie de Laetitia !

— C'est ta haie autant que la mienne, brocarda celle-ci en imitant son amie.

— Oui, mais c'est ton côté !

— N'empêche, c'est pas bête, comme idée, fit remarquer Sylvain, songeur.

— Quoi ?

— Une ouverture pour passer directement d'un jardin à l'autre.

La suggestion de Sylvain fut accueillie par un silence méditatif, ce qui lui permit de préciser sa pensée.

— On pourrait aménager un passage à travers la haie. On est quand même tout le temps fourrés les uns chez les autres. Et puis, ce serait plus pratique quand on ne retrouve plus le tire-bouchon, au lieu de devoir faire le tour par la rue...

Chacun fixait la haie en imaginant sa propre version d'un accès direct au jardin voisin. Celui de Laetitia se composait d'une simple barrière blanche qu'il suffirait de pousser. Tiphaine l'envisageait comme un véritable portillon ceinturé d'un muret sur lequel elle pourrait faire pousser une plante grimpante, et peut-être même couvert d'un petit toit de tuiles rouges. Sylvain, lui, voyait plutôt une grille en fer forgé. Quant à David, il n'imaginait rien parce qu'il n'était pas certain que l'idée lui plaise.

— Le problème, c'est que je ne suis pas sûre que Mme Coustenoble serait d'accord, fit remarquer Tiphaine au grand soulagement de David qui, du coup, s'abstint de jouer les trouble-fête.

Mme Coustenoble était la propriétaire de Tiphaine et Sylvain. Veuve d'un Gilbert qu'elle ne semblait pas regretter outre mesure, elle était le stéréotype même de la propriétaire en apparence bienveillante, dont la tolérance et la compréhension trouvaient leurs limites dans les contingences de son statut. C'était une petite femme sèche d'une soixantaine d'années, discrète en général mais particulièrement méfiante lorsqu'il s'agissait d'apporter quelques transformations à son bien, fût-ce pour en accroître la valeur. Architecte de son état, Sylvain lui avait déjà proposé diverses modifications dans l'agencement des pièces, à frais partagés, autant pour leur confort personnel que pour donner une plus-value à la maison. Ce qu'elle avait toujours refusé. Le nom de Mme Coustenoble jetait donc une ombre maléfique sur les rêves d'aménagement des Geniot chaque fois qu'il leur prenait l'envie de personnaliser leur intérieur, ce qui n'était pas le cas des Brunelle puisqu'ils étaient propriétaires de leur logement.

Cette différence de statut entre les deux couples était un sujet de plaisanterie autant que d'amicales taquineries. Financièrement, Tiphaine et Sylvain étaient bien plus à l'aise que David et Laetitia, dont les professions – assistante sociale pour elle et chauffeur de taxi pour lui – leur permettaient tout juste de boucler les fins de mois sans trop d'embarras. De leur côté, sans rouler sur l'or, Tiphaine et Sylvain avaient des revenus beaucoup plus confortables. Oui mais voilà : ils n'étaient que locataires, ce qui équilibrait la balance. Non pas que l'argent fût source de forfanterie entre eux, mais si les Geniot s'octroyaient des vacances plus longues et plus ensoleillées que les Brunelle, leurs velléités d'apparat étaient souvent limitées par la frilosité de Mme Coustenoble.

— Ça ne coûte rien de lui demander, reprit Sylvain.

— Laisse tomber ! soupira Tiphaine. Tu peux être sûr que cette vieille bique refusera tout net avant même qu'on n'ait fini notre phrase.

— On verra... Si elle refuse, tant pis, mais on peut au moins lui en parler !

Puis, laissant les enfants à leur ouvrage, les quatre amis regagnèrent la terrasse, discutant déjà des différents modèles de portail, du coût des travaux et de l'endroit le plus approprié pour l'installer.

David, quant à lui, pria secrètement pour que les craintes de Tiphaine soient fondées.

Chapitre 8

Laetitia, les mains chargées d'un magnifique gâteau au chocolat orné de quatre bougies, entonna la chanson d'anniversaire, très vite rejointe par l'ensemble des invités. Puis elle déposa la pâtisserie devant un Milo rouge de plaisir et de fierté. Le petit garçon prit une profonde inspiration avant de bruyamment souffler sur les bougies. Un tonnerre d'applaudissements éclata dans la pièce.

Outre Maxime, Tiphaine et Sylvain, six petits camarades de l'école maternelle avaient été conviés pour fêter l'événement, certains accompagnés de leurs mères, d'autres de leurs deux parents, sans oublier les grands frères et les petites sœurs. Il régnait donc chez les Brunelle une joyeuse ambiance de fête. Comme il y avait du monde partout, David et Laetitia ne surent bientôt plus où donner de la tête : servir le gâteau, les boissons, attention de ne pas renverser, « Les cuillères sont dans le deuxième tiroir de la cuisine », organiser des jeux pour les enfants, faire la conversation aux parents, « Oh, vous êtes journaliste, comme c'est intéressant, encore une tasse de café ? ».

Ernest fit également une apparition pour souhaiter un bon anniversaire à son filleul. Il lui offrit une magnifique paire de gants de boxe qui avait autrefois appartenu à un obscur boxeur professionnel dont le nom n'avait pas marqué l'histoire de ce sport, ce qui provoqua l'admiration et la jalousie de ses petits camarades ainsi que la réprobation de Laetitia.

— Enfin, Ernest, on n'offre pas des gants de boxe à un petit garçon de 4 ans !

— Ah non ? Et pourquoi cela ?

Laetitia s'apprêtait à répondre lorsque des cris l'en empêchèrent : Milo venait d'enfiler un gant et de l'essayer sur l'un de ses invités.

— Voilà pourquoi ! répliqua-t-elle en se précipitant vers un petit garçon qui pleurait à chaudes larmes.

Elle consola l'enfant et confisqua le cadeau. Milo se révolta, Laetitia éleva la voix, quelques enfants voulurent s'emparer des gants, la rébellion menaça...

— Qui veut jouer à la chaise musicale ? lança David d'une voix suffisamment forte pour être entendu de tous.

Les mutins en culottes courtes abandonnèrent aussitôt leur projet d'émeute et tombèrent dans le piège tendu par David. Dix secondes plus tard, tout rentrait dans l'ordre et Laetitia proposa une tasse de café à Ernest.

À la fin de la journée, tandis que les derniers invités disparaissaient derrière la porte d'entrée, Laetitia, David, Tiphaine et Sylvain se laissèrent tomber dans les fauteuils et canapé du salon, non sans écraser au passage un bout de gâteau ou un bonbon.

— Le prochain goûter d'anniversaire, ce sera pour ses 20 ans et c'est lui qui l'organisera ! gémit Laetitia en détaillant le capharnaüm indescriptible qui régnait dans la pièce.

— Tu n'as pas encore vu la chambre de Milo ! murmura David en se massant la nuque.

— Tu veux qu'on prenne Milo jusqu'à demain ? proposa Tiphaine. Ça vous laissera le temps de ranger sans l'avoir dans les pattes.

— Vous pouvez même le garder toute la semaine ! Je suis vaccinée contre les gosses pour un bon bout de temps.

Ils rirent à cette boutade puis commentèrent l'anniversaire. « C'est fou comme Grégoire ressemble à son père, on dirait un clone ! » « En revanche, la mère du petit Firmin, elle n'a pas l'air commode. » « C'est lequel encore, Firmin ? Ah oui, le petit blond qui louche... »

Soudain Sylvain se redressa sur son fauteuil :

— Avec tout ça, on a oublié de vous annoncer une bonne nouvelle ! Mme Coustenoble est d'accord ! Pour la haie.

Rassemblant le peu d'énergie qui lui restait, Laetitia s'en réjouit. Ils parlèrent du portail, Laetitia évoqua son idée de barrière blanche, comme à la campagne, le plus simple c'est le mieux... Une grille en fer forgé ? Oui, c'est joli aussi. Mais ce sera plus cher, non ?

— Pour le coût des travaux, ne vous faites pas de soucis, je m'en charge, argumenta Sylvain.

— Ça peut valoir combien, une grille en fer forgé ?

— Oh... Elle ne sera pas très large... Il faut compter environs mille euros.

— Mille euros ! s'exclama Laetitia. On n'a pas les moyens !

— Divisé par deux, précisa Tiphaine.

— Tout de même...

— T'en penses quoi, toi, David ? demanda Sylvain.

David esquissa un rictus embarrassé, soupira puis se jeta à l'eau.

— Je ne sais pas si c'est une bonne idée, déclara-t-il d'un ton grave qui contrastait avec la vivacité des pourparlers.

— Une bonne idée de quoi ?

— Cet accès direct d'un jardin à l'autre.

— Pourquoi ce ne serait pas une bonne idée ?

— Ce qui fait que notre amitié fonctionne, c'est justement qu'on soit chacun chez soi. On ne marche pas sur les plates-bandes des autres, on ne s'envahit pas. Quand on sonne chez vous, si vous n'avez pas envie d'ouvrir, vous n'ouvrez pas. Pareil pour nous. Et c'est très bien comme ça.

— Nous n'avons jamais fait semblant de ne pas être chez nous lorsque vous sonniez à notre porte sous prétexte qu'on n'avait pas envie de vous voir, argumenta Sylvain avec une lenteur déconcertée.

— Nous non plus ! répliqua vigoureusement Laetitia sur un ton d'excuse.

— Ben alors ?

— C'est un mauvais exemple, soupira David. On se comprend.

Ses réticences jetèrent un froid et, durant quelques secondes, Laetitia, Tiphaine et Sylvain le considérèrent avec autant de surprise que d'incompréhension.

— C'est maintenant que tu le dis ? enchaîna Laetitia qui découvrait avec étonnement l'opinion de son mari sur la question.

— Je ne vois pas ce qu'un portail entre nos deux jardins va changer à ça, objecta Tiphaine, déçue.

— En théorie, sans doute pas grand-chose. Dans les faits pourtant... on sera plus tentés de passer par là parce que ce sera plus simple.

Cet argument confirma aux trois autres que le débat sur les prix et modèles de portail était bel et bien clos. Un nouveau silence trahit leur déconvenue. Sylvain finit par le briser sur le ton de la plaisanterie, afin de détendre l'atmosphère :

— Dis plutôt que Laetitia et toi, vous aimez badiner sur le canapé du salon et que, vu que les fenêtres donnent sur le jardin...

— Il y a de ça, répondit David avec le plus grand sérieux.

— C'est une bonne raison, rétorqua Sylvain en faisant un clin d'œil à Laetitia.

Tiphaine, qui était justement affalée dans le canapé, se leva soudain et alla se servir une tasse de café.

— OK, concéda-t-elle à regret. Tu aurais juste pu nous le faire savoir avant qu'on aille perdre notre temps à essayer de convaincre Mme Coustenoble.

Puis elle s'empara d'une chaise qu'elle rapprocha de ses amis, et s'y installa.

David hocha la tête.

— Désolé. Tu avais l'air tellement certaine que ta proprio refuserait que je n'ai pas voulu jouer les trouble-fête.

Ils s'épièrent un court moment, et l'on sentait que Tiphaine hésitait à tenter de convaincre David... Puis elle esquissa un sourire fataliste et haussa les épaules.

— Tant pis !

Carnet de santé

4-5 ans
Votre enfant commence-t-il à s'habiller seul ?
Oui, avec un peu d'aide.
Le langage de votre enfant est-il compréhensible par quelqu'un qui ne le connaît pas ?
M. s'exprime très bien et parle beaucoup !
Votre enfant participe-t-il aux activités de la classe ?
Selon son humeur... M. semble ne pas apprécier la psychomotricité... En revanche, il adore tous les jeux de construction, ainsi que le dessin et le chant.
Notes du médecin :
Poids : 18 kg 300. **Taille :** 110 cm.
Angine blanche, température 39,6°.
Antibiotique Augmentin, 5 ml 3X/jour au cours des repas, pendant 1 semaine.
5 ml de Junifen au-delà de 38,5°.
Bouchon dans l'oreille gauche.

Chapitre 9

Cette année-là, l'automne s'annonça à coups de grisaille prolongée. À peine octobre avait-il débuté qu'on avait déjà rangé les terrasses, remisé les transats, rentré les chaises de jardin et bâché la table. Le mauvais temps avait définitivement enterré l'histoire de la haie. On continua donc de sonner aux portes des uns pour se rendre chez les autres.

Un mardi, en début d'après-midi, David finissait de lire le journal dans son taxi, juste devant la gare, escomptant que le train de Paris de 14 h 09 lui apportait peut-être quelques clients. La page des sports terminée, il replia le quotidien qu'il rangea dans la boîte à gants. Puis, après avoir consulté sa montre, il reporta son attention sur la porte principale de la gare, d'où sortit bientôt une colonne éparse de voyageurs. Une mère et sa fille se dirigèrent sans hésitation vers l'arrêt d'autobus. Deux jeunes hommes s'engouffrèrent dans une voiture stationnée juste devant le taxi de David, tandis qu'une dame d'une cinquantaine d'années s'avançait à pas tranquilles sur le trottoir tout en allumant une cigarette. Après avoir inspiré une longue bouffée qu'elle recracha avec délice, elle regarda à gauche, puis à droite, et attendit. David décida de patienter jusqu'à la fin de la cigarette avant de lui proposer ses services, si toutefois personne ne s'était présenté entretemps. Il ne sut jamais si quelqu'un était venu la chercher puisque, quelques instants plus tard, un homme ouvrit la portière arrière et s'installa dans le taxi.

— Rue Edmond-Petit, annonça-t-il d'emblée.

David hocha la tête, mit le compteur en route et démarra. Il connaissait bien la rue Edmond-Petit : c'était la sienne, ce qu'il se garda de préciser à son client afin de ne pas engager la conversation.

Dans son taxi, David n'était pas causant. Les discussions inutiles, celles dont l'unique fonction était de combler le silence, l'agaçaient. Il ne voyait pas l'intérêt de tisser des liens avec de parfaits inconnus qui le resteraient une fois la course terminée. Et puis surtout, il n'était pas payé pour parler.

En revanche, David aimait détailler la physionomie des personnes qu'il chargeait à l'arrière de son véhicule. Les yeux rivés sur la route, il lui suffisait de faire glisser son regard de quelques centimètres sur la droite pour choper dans le miroir de son rétroviseur le visage de ses clients, leurs expressions, la manière dont ils regardaient au-dehors, curieux ou contemplatifs, la façon dont ils parlaient au téléphone, abordant leur vie professionnelle ou même privée sans aucune pudeur, comme si lui, David, n'existait pas. Ça l'avait toujours étonné de constater à quel point la plupart des gens semblaient persuadés qu'un chauffeur de taxi n'avait ni oreille ni opinion, comme s'il était réduit à ne posséder que des yeux pour se guider, des mains agrippées au volant et des pieds pour démarrer, accélérer ou freiner.

David avait un certain talent pour épier ses clients à leur insu. Lorsqu'il dévisageait leur reflet, il savait exactement à quel moment ils se sentiraient observés et poseraient à leur tour les yeux sur le petit miroir rectangulaire. Avant même que le regard du passager ne fasse la mise au point sur le rétroviseur, David avait détourné le regard et fixait la route droit devant lui. Les plus suspicieux vérifiaient à plusieurs reprises, David était toujours plus rapide qu'eux. Il percevait la micro-seconde précise où l'œil du client cillait avant de se déplacer vers le miroir. L'instant d'après, il conduisait avec indifférence.

Ce client-là n'échappa pas à son goût pour l'observation. C'était un homme de son âge, 35 ans environ, de bonne tenue, le costume chic et bien coupé. Certitude idéologique et aisance financière. L'individu était plutôt bel homme malgré un visage marqué dont les traits trahissaient une intense fatigue : teint pâle, yeux cernés, joues creusées. Quant au regard, il était fuyant, avec de brefs mouvements de la tête, vers la gauche, vers la droite, à scruter les rues, reconnaître les lieux, mémoriser l'itinéraire. Nerveux et pressé. Sinon ? Sinon rien.

Son examen accompli, David reporta toute son attention sur la route.

— On y est, l'informa-t-il en s'engageant dans la rue Edmond-Petit après avoir tourné à droite.

— Numéro 26, précisa l'homme.

L'information amusa David parce qu'il s'agissait de la maison de Tiphaine et Sylvain. Il jeta un coup d'œil plus appuyé à son client et se demanda auquel de ses amis celui-ci rendait visite. Il paria pour Sylvain, que son métier d'architecte amenait régulièrement à rencontrer des collègues de la capitale.

Un court instant, il faillit presque informer l'homme qu'il connaissait personnellement Sylvain Geniot, que c'était même un ami très proche, que lui-même vivait dans la maison voisine, parce que la coïncidence était drôle, du moins cocasse... Il s'en abstint. À quoi bon, et puis quel intérêt ?

David stoppa son taxi juste devant la porte des Geniot. Il indiqua le prix de la course, empocha l'argent et attendit que son client sorte de la voiture. Pendant quelques secondes, il fut tenté de rentrer cinq minutes chez lui pour boire une tasse de café, avisa l'horloge digitale affichée sur le tableau de bord et remit sa pause à plus tard.

En redémarrant, par le rétroviseur, il vit l'homme sonner à la porte de Tiphaine et Sylvain.

Chapitre 10

David ne raconta pas à Sylvain la course qu'il avait indirectement faite pour lui. Du moins, pas tout de suite. Non qu'il ait voulu taire l'anecdote, ni même qu'il l'ait oubliée... L'occasion d'aborder les détails du quotidien ne se présenta pas, voilà tout. D'ailleurs, il ne revit Sylvain que le vendredi suivant, à l'heure de l'apéro.

La veille, à la lecture du journal, un pernicieux malaise s'était insinué en lui.

Alors qu'il se trouvait devant la gare, attendant d'éventuels clients, David allait aborder les pages sportives lorsque son attention fut attirée par une photo. Il détailla la physionomie de l'homme représenté sur le cliché et reconnut avec surprise le client du mardi précédent, celui-là même qu'il avait déposé devant la porte de ses amis. Mais c'est surtout la légende qui le perturba. L'homme, un médecin généraliste parisien dénommé Stéphane Legendre, atteint d'un cancer du pancréas et désormais condamné, avait été retrouvé mort dans son cabinet de consultation le mercredi matin, une seringue remplie de cyanure plantée dans le bras. Le crime crapuleux avait rapidement été écarté du fait qu'il n'y avait aucune trace d'effraction, ni même de violence, et que rien n'avait été volé. De plus, la police n'avait relevé aucune empreinte suspecte sur les lieux. Les enquêteurs privilégiaient donc la thèse du suicide, renforcée par le diagnostic d'un cancer incurable.

De toute évidence, l'homme avait fait le choix de s'épargner la longue et douloureuse agonie qui l'attendait.

L'article relatait le témoignage de la secrétaire : ignorant le mal dont souffrait son patron, elle rapportait toutefois que, ces derniers temps, le médecin lui avait semblé plutôt déprimé. N'entretenant avec lui que des relations purement professionnelles, la pauvre femme n'avait pas imaginé un seul instant qu'il était abattu au point de mettre fin à ses jours. Comme elle s'en voulait !

Stéphane Legendre, médecin généraliste à Paris.

Les confidences de Sylvain au sujet des circonstances dans lesquelles Tiphaine et lui s'étaient rencontrés revinrent à la mémoire de David : le meilleur ami trop imbu de sa personne pour assumer la responsabilité de ses erreurs, c'était lui. Lui qui portait sur la conscience le drame d'une fausse couche. Lui qui avait fait condamner Tiphaine pour une faute qu'elle n'avait pas commise. Aucun doute là-dessus.

David reposa le journal, pensif, avec les paroles de Sylvain en résonnance.

« Nous tenons chacun le destin de l'autre dans notre main. Il peut briser ma vie, je peux anéantir la sienne. Nous sommes désormais néfastes l'un pour l'autre. »

Fouillant dans ses souvenirs, il tenta de se remémorer plus précisément l'attitude de son client deux jours auparavant, faisant appel à ses dons d'observation... L'homme lui avait en effet parut soucieux, sombre, renfermé, et ce qu'il avait pris pour une intense fatigue n'était en vérité que les marques de la maladie...

— Avenue Victor Hugo, s'il vous plaît, déclara une jeune femme en s'installant sur la banquette arrière.

La portière claqua, arrachant David à ses pensées. Il hocha la tête, mis le compteur en route et démarra aussitôt.

Le lendemain, comme toujours le vendredi, les quatre amis se retrouvèrent pour l'apéritif. Rendez-vous hebdomadaire qu'il n'était plus besoin de confirmer et qu'ils avaient baptisé « l'apéro du vendredi ». La fin de la semaine sonnait l'heure de la détente, Maxime et Milo avaient le droit de regarder la télé plus longtemps qu'à l'accoutumée, généreuse permission accordée par des parents surtout intéressés par la possibilité de boire leur apéro sans être dérangés. Tout le monde y trouvait son compte et chacun profitait d'un répit bien mérité.

Une nuit avait passé depuis la lecture du journal. La stupeur de la révélation s'était estompée. Dans un premier temps, David décida de ne pas se mêler de ce qui ne le regardait pas, mais la curiosité fut plus forte. Profitant d'un moment où Tiphaine et Laetitia discutaient dans la cuisine, il entraîna son ami à l'écart.

— Je t'avais promis de ne plus aborder le sujet, attaqua-t-il d'emblée en parlant à voix basse, mais c'est moi qui ai chargé ton pote médecin dans mon taxi et qui l'ai conduit chez toi, mardi dernier.

— De quoi tu parles ? demanda Sylvain en dévisageant David, l'air perplexe.

Et c'est vrai qu'il semblait ne rien comprendre à ce que David lui disait. Sans se faire prier, celui-ci éclaira sa lanterne.

— Stéphane Legendre, ton ancien pote, celui qui...

Sitôt ce nom prononcé, Sylvain pâlit. D'un geste paniqué, il intima à David de se taire avant de tourner vers la cuisine un regard anxieux.

— C'est bon, elle n'entend pas, chuchota David.

Après s'en être assuré, Sylvain reporta toute son attention sur son ami :

— Quoi, Stéphane Legendre ? s'enquit-il, nerveux.

— C'est moi qui l'ai conduit jusque chez toi, mardi.

— Bon sang, David ! s'énerva Sylvain. Qu'est-ce que tu essaies de me dire ?

— Rien ! s'offusqua celui-ci. Je veux dire... Je ne peux pas faire comme si je n'étais au courant de rien ! Mardi, je le charge dans mon taxi et le dépose devant chez toi, et mercredi matin, on le retrouve mort dans son cabinet.

— Hein ?

De pâle, le teint de Sylvain vira au terreux. Il prit appui sur la table qui se trouvait à proximité et considéra David d'un œil horrifié.

— C'est quoi, cette histoire ? émit-il dans un souffle à peine audible.

David ne cacha pas sa surprise : de toute évidence, Sylvain n'était au courant ni de la visite de son ancien complice, ni de son décès aussi brutal que prématuré.

— Tu... Tu ne lui as pas donné rendez-vous chez toi, mardi, vers deux heures et demie ?

— Mardi ? Je...

Sylvain semblait trop ébranlé pour réfléchir. Il continuait de fixer David, la bouche ouverte, l'œil halluciné, et l'on sentait que son cerveau implosait sous la charge d'une escadre de pensées toutes plus explosives les unes que les autres. Ne sachant trop quoi dire, David garda le silence, témoin impuissant du marasme dans lequel semblait se débattre son ami dont le regard, à présent, errait d'un point à l'autre de la pièce.

Soudain, Sylvain fronça les sourcils.

— Je n'étais pas chez moi, mardi après-midi ! déclara-t-il d'une voix blanche.

Puis, se tournant vers la cuisine, il observa d'un œil livide la silhouette de Tiphaine dont le rire ingénu lui parvenait par volutes saccadées.

David comprit la crainte de Sylvain, qu'il résuma en une courte question :

— Et Tiphaine ?

Sylvain secoua la tête.

— Pas que je sache, précisa-t-il.

David haussa les épaules.

— Alors, je ne vois qu'une explication : se sachant condamné, ton ancien pote est venu te voir une dernière fois. Peut-être pour te demander pardon. Soulager sa conscience et partir l'âme en paix. Comme il n'y avait personne, il est rentré chez lui et s'est donné la mort.

— Il s'est suicidé ?

— C'est en tout cas la thèse des enquêteurs. Injection de cyanure.

Sylvain grimaça de dégoût.

— Désolé, murmura David. Je pensais que tu étais au courant.

— Vous en faites une tête ! s'exclama Laetitia en pénétrant dans le salon. Chéri, Tiphaine se propose de nous donner des plants de tomates et de salades. On pourrait faire un petit potager avec Milo dans le fond du jardin, histoire de l'initier à la culture bio. Après tout, on est bobo ou on ne l'est pas !

David réagit rapidement, conscient qu'il fallait laisser un peu de temps à Sylvain pour retrouver une contenance. Il s'avança au-devant de sa femme et arbora un franc sourire.

— Excellente idée ! Après ça, on élève des poules et des lapins et on déclare notre indépendance !

Puis, comme Tiphaine entrait à son tour dans la pièce, il lui demanda :

— Je me trompe ou ce n'est pas franchement la saison pour planter des légumes ?

Celle-ci acquiesça.

— Pour les tomates, ce ne sera pas avant le mois de mars de l'année prochaine. Mais on se débarrasse de toute une série de graines et de plants au boulot, et en ce qui concerne les salades, vous pouvez commencer dès janvier. Vous n'aurez qu'à les entreposer dans la remise.

— Ça marche ! déclara David avec entrain.

— De quoi discutiez-vous ? s'enquit Laetitia en observant son mari avec curiosité.

— Rien de spécial, pourquoi ?

— Je ne pensais pas que l'idée de faire un potager allait t'enchanter à ce point...

— Où est le rapport ?

Laetitia lui sourit avec gentillesse.

— Nulle part.

Elle déposa un baiser sur ses lèvres puis se tourna vers Sylvain.

— Ça vous dit de manger avec nous ?

Sylvain s'était repris. Il accepta l'invitation avec un enthousiasme un peu forcé qui n'échappa pas à sa femme.

— Tu avais envie de rentrer ?

— Pas du tout ! se défendit-il avec maladresse.

Tiphaine l'observa d'un œil suspicieux.

— Ça ne va pas ?

Connaissant ses piètres talents de comédien, il para au plus pressé.

— Je crois que j'ai eu une petite chute de tension...

— Oh, mon biquet ! s'exclama Tiphaine, inquiète. Tu travailles trop, je te l'ai déjà dit. Installe-toi dans le divan, Laetitia et moi, on se charge du repas.

— David, tu peux décrocher les garçons de la télé ? pria Laetitia en faisant demi-tour. Ça fait plus d'une heure qu'ils sont devant.

Après tout, si elles étaient de corvée de cuisine, il n'y avait aucune raison pour que les hommes ne soient pas de corvée de gamins.

David fit un signe de la tête signifiant qu'il s'en chargeait. Il attendit cependant que les femmes réintègrent la cuisine avant de rejoindre Sylvain sur le divan.

— Ça va aller?

Libéré de la présence de Tiphaine, celui-ci ne dissimula plus son tourment.

— Ça ne lui ressemble pas!

— Qu'est-ce qui ne lui ressemble pas?

Perdu dans ses pensées, Sylvain ne répondit pas tout de suite. Puis il releva la tête et posa sur David un regard bouleversé.

— Venir me demander pardon juste avant de se donner la mort... Il devait avoir une autre raison de vouloir me voir...

— Quel genre de raison?

— Je n'en sais rien... Mais certainement pas pour me souhaiter du bien.

À la piscine.

Tiphaine et Laetitia bavardent sur le bord tandis que Maxime et Milo barbotent dans la pataugeoire.

Milo, presque 5 ans, sort du bassin et enlève aussitôt son maillot.

Laetitia s'étonne :

— Ben, Milo, pourquoi tu enlèves ton maillot ?

— Parce qu'il est tout mouillé, maman !

Chapitre 11

— Ça suffit ! vitupéra Laetitia en pénétrant dans la chambre de Milo.

Elle ouvrit la bouche pour donner libre cours à son exaspération, demander aux garçons de faire un peu moins de bruit.

— On vous entend jusque dans la cuisine, alors un ton plus bas, s'il vous plaît...

Le spectacle qui s'offrit à elle la laissa sans voix.

L'étagère à jouets était vide. Totalement vide. Tout son contenu jonchait la moquette, dont on ne devinait même plus la couleur. Cela n'aurait pas été bien grave si les jeux en question étaient restés dans leurs boîtes, mais Maxime et Milo avaient trouvé amusant de tout vider par terre et, plus drôle encore, de mélanger les jeux pour en faire une sorte de conglomérat informe et multicolore dans lequel on pouvait, à première vue, identifier les pièces de différents puzzles, celles du Puissance 4, le jeu de loto, tous les Playmobil et leurs nombreux accessoires, les Kapla, les dominos, les mikados, le circuit en bois entièrement démonté pour l'occasion, les feutres et autres crayons de couleurs, sans oublier tous les jeux de cartes que Milo affectionnait tant, comme par exemple le Uno, le jeu des sept familles ou celui, plus classique, de bataille...

Les deux garçons, surpris par l'arrivée intempestive de Laetitia, se figèrent en pleine action. Maxime tournait le dos à la porte mais il ne faisait aucun doute qu'il était assis à califourchon sur Milo, en une posture des plus confortables pour peinturlurer le visage de son petit camarade avec un feutre, indélébile cela va sans dire, et lui dessiner de grosses moustaches, des lunettes modèle années soixante-dix, une barbe fournie, sans oublier ce qui ressemblait vaguement à des cicatrices.

Laetitia avisa le chantier qui recouvrait le sol de la chambre de Milo, se dirigea vers le lit sur lequel se trouvaient les deux enfants, découvrit le nouveau look de son fils, ce qui donna le temps à Maxime de se tourner vers elle et lui présenter à son tour son visage autrement plus bariolé que ne l'était, à ce stade du grimage, celui de Milo.

— Vous êtes devenus fous ?

C'est tout ce qu'elle trouva à dire.

Les deux enfants éclatèrent de rire.

— T'as vu comme on est beaux, maman ! s'exclama Milo en se redressant afin que sa mère puisse mieux encore admirer son maquillage.

— Milo ! Maxime ! Mais... Qu'est-ce que vous faites ?

— On se déguise en vieux, répondit Maxime non sans fierté.

Laetitia comprit alors que les lignes dessinées sur le visage de son fils n'étaient pas des cicatrices mais des rides.

— Ça va pas, non ! Maxime, donne-moi tout de suite ce feutre !

Elle s'avança vers les garçons, faillit se tordre la cheville en trébuchant sur les jouets, tenta ensuite de se frayer un passage au milieu du capharnaüm. Parvenue à leur niveau, elle les empoigna l'un après l'autre et les entraîna de force en rebroussant chemin. Puis elle les conduisit à la salle de bains où elle leur savonna le visage à grandes eaux, ce qui ne fit que réduire partiellement les dégâts.

— Ta mère va me tuer ! murmura-t-elle en contemplant avec résignation la frimousse de Maxime.

— Tu n'aimes pas ? s'enquit Milo en dévisageant sa mère avec un mélange de surprise et de déception.

— Non, je n'aime pas ! s'emporta Laetitia. Je n'aime pas quand vous faites des bêtises, je n'aime pas quand vous mettez du désordre partout, je n'aime pas quand vous ressemblez à deux petits diables incontrôlables ! Enfin, Milo ! Qu'est-ce qui vous passe par la tête ? Tu as vu dans quel état est ta chambre ? Si vous continuez comme ça, vous allez être punis !

— On sera punis comment ? s'enquit Maxime.

Laetitia réfléchit quelques instants.

— Plus tard, quand vous serez grands, vous aurez des enfants aussi difficiles que vous.

— Comment tu le sais ?

— Parce que, quand j'étais petite, je faisais beaucoup de bêtises. Et ma mère me disait toujours qu'un jour j'aurai un enfant aussi difficile que moi et qu'enfin je comprendrais. Et que je serais bien punie. Eh bien, voilà, c'est fait : j'ai un petit garçon insupportable.

— Ça marche pas, ton truc, affirma Milo.

— Ah non ? Et pourquoi ça ?

— Parce que si je suis sage pour ne pas avoir un enfant difficile quand je serai grand, ça veut dire que toi, tu ne seras jamais punie pour toutes les bêtises que tu as faites quand tu étais petite.

Laetitia considéra son fils d'un œil un peu las, hésitant entre une repartie cinglante – qui lui ferait passer l'envie de jouer au plus malin – et la fin des débats. Dans un premier temps, elle opta pour la première possibilité et réfléchit encore quelques longues secondes pour trouver un argument de taille qui riverait le clou à ce petit blanc-bec. Elle se rabattit finalement sur la seconde et leur mit un dessin animé afin d'éviter tout dégât futur.

— Et donc, pour les récompenser d'avoir mis le souk et s'être peinturluré le visage, tu leur as permis de regarder la télé ? s'étonna Tiphaine lorsqu'elle vint récupérer Maxime. Original comme principe d'éducation !

— J'allais pas les fouetter, non plus ! se défendit Laetitia. Ils n'ont que 5 ans… C'est un peu normal qu'ils fassent des bêtises…

— Et c'est normal qu'ils soient punis pour leurs bêtises, répliqua sèchement Tiphaine. Eux, ils jouent leur rôle, et nous, le nôtre.

Laetitia soupira.

— Tu me gonfles, Tiphaine ! Qu'est-ce que tu essaies de me dire ? Que j'élève mal mon fils ?

Tiphaine hésita puis décida de crever l'abcès.

— Je trouve que vous ne lui imposez pas assez de limites. C'est vrai, quoi ! Chaque fois que je te laisse Maxime, ils font des bêtises ! Et à tous les coups, la seule réponse que tu leur donnes, c'est de les coller devant la télé.

— Je les ai « collés devant la télé » comme tu dis parce que je savais que tu allais arriver dans la demi-heure !

— Et puis, je ne sais pas… Ça ne me viendrait pas à l'esprit de les laisser seuls dans la chambre de Maxime sans surveillance.

— Qu'est-ce que tu veux qu'il leur arrive ?

— Ça ! répliqua Tiphaine en pointant du doigt le visage de son fils.

— Oui, bon… Ils n'étaient pas en danger tout de même ! Tu lui donnes un bon bain ce soir et on n'en parle plus.

77

Tiphaine poussa un profond soupir, se laissa tomber sur une chaise de la cuisine et alluma une cigarette.

— Excuse-moi. Je suis un peu à cran en ce moment.

— Qu'est-ce qui ne va pas ? lui demanda Laetitia en s'installant à côté d'elle.

— Rien. Tout. Le boulot. Ma mère. Sylvain.

— Ben... Commence par le début.

— Pas envie d'en parler. Tu me sers un café ?

Laetitia se leva, prit deux tasses dans l'armoire qu'elle plaça sous la machine à espresso. Puis elle entrouvrit la fenêtre afin d'aérer la pièce. Tiphaine, ayant compris le message, lui jeta un regard en biais sans pour autant écraser sa cigarette.

— Tu as les nerfs, toi ! fit remarquer Laetitia en posant les deux cafés sur la table.

— Suis fatiguée. Besoin de vacances.

— Vous partez quelque part, cette année ?

Tiphaine leva les yeux au ciel.

— Les parents de Sylvain insistent pour qu'on les rejoigne en Normandie.

— Et ?

— Tu parles comme ça m'excite !

— Ce n'est pas le genre de Sylvain de vouloir passer des vacances avec sa famille, je me trompe ?

— Vu que son père ne va pas très bien, il est prêt à accepter. Il dit que c'est peut-être la dernière année...

— Si ça te pèse autant, pourquoi ne le laisses-tu pas rejoindre ses parents quelques jours avec Maxime ? Ensuite, vous partez tous les trois pour de vraies vacances. Comme ça, tout le monde est content.

Tiphaine éclata d'un rire narquois.

— Malheureuse ! Tu n'imagines pas l'incident diplomatique que ça provoquerait si je ne les accompagnais pas. Dans dix ans, on en parlera encore ! Et puis Sylvain a décrété que si je ne me tape pas ses parents cet été en Normandie, il ne voit pas pourquoi il devrait se taper les miens cet hiver à Noël. Et comme l'année passée, on a fêté Noël dans sa famille, ma mère va me faire un caca nerveux si on ne passe pas les fêtes de fin d'année chez elle. Donc je suis coincée.

Tiphaine haussa les épaules tout en sondant sa tasse comme si elle allait y trouver la solution à tous ses tracas.

— Le problème, ajouta-t-elle, c'est que Sylvain n'aime pas sa famille. Même lorsqu'il était petit, ça ne se passait pas bien, que ce soit avec ses parents, ses frères et sa sœur. Résultat des courses, à ses yeux, « famille » rime avec « bisbille ». Tu n'imagines pas l'ambiance lorsqu'ils sont ensemble, ils s'engueulent sans arrêt, ils se reprochent tout et n'importe quoi. Il n'y a aucune tendresse, aucune complicité, aucune affinité. C'est une tension perpétuelle, et je déteste ça.

— Tu lui en as déjà parlé ?

— Là n'est pas le problème...

— Il est où, le problème, alors ?

— Sylvain entretient les mêmes relations conflictuelles et désagréables avec mon « côté », sous prétexte qu'il s'agit du mien, justement. Il est incapable d'envisager que nous puissions avoir de bons contacts et que ça me fasse plaisir d'être avec eux.

— Comprends pas.

— Sylvain ne supporte ni ma mère, ni mon père, ni mon frère. Non pas parce qu'ils ne s'entendent pas... Enfin, si, ils ne s'entendent pas, mais uniquement parce qu'il s'agit de membres de ma famille. Je suis persuadée que s'il faisait leur connaissance en dehors, dans un autre cadre, il les apprécierait.

Elle réfléchit un instant à ce qu'elle venait de dire, puis elle rectifia :

— En tout cas, il ne les détesterait pas autant.

Laetitia hocha la tête en signe de compréhension. Tiphaine poursuivit.

— Je commence d'ailleurs à penser qu'il est jaloux de la connivence que nous avons, mes parents, mon frère et moi. Et qu'inconsciemment, il m'en veut. Un peu comme si, du fait qu'il n'était pas heureux avec les siens, je n'avais pas le droit de l'être avec les miens. Et ça me gonfle ! Moi qui d'ordinaire suis tellement contente de voir mes parents, être avec eux, parler, partager des choses... Aujourd'hui, quand nous sommes invités chez eux, je suis constamment sur la défensive car je sais que ça ennuie Sylvain, que rien ne trouvera grâce à ses yeux, pas même la cuisine de ma mère, ou les propos de mon père, encore moins les opinions de mon frère. Et bien sûr, il ne se gêne pas pour le leur faire sentir ! Je sais aussi que tout ce qu'ils diront, tout ce qu'ils feront me sera reproché sitôt rentrés à la maison. Et puis ça ne rate jamais, il faut toujours qu'il balance une crasse qui mettra tout le monde mal à l'aise. Il me gâche mon plaisir. Du coup, je m'empêche de les voir aussi souvent que je le voudrais et je commence à lui en vouloir.

Tiphaine soupira avant de grommeler :

— Tu ne connais pas ta chance ! Question famille, tu as la paix !

Sa remarque, de toute évidence formulée sans penser à mal, tétanisa Laetitia qui tourna vers son amie un visage blême. Celle-ci réalisa – trop tard – l'énormité de ce qu'elle venait de proférer.

— Désolée ! s'exclama-t-elle. Excuse-moi, ma chérie, pardon, pardon, pardon. Je n'ai pas réfléchi, je suis une affreuse, je me flagelle, là, devant toi...

Laetitia restait immobile, pétrifiée, dévisageant Tiphaine avec un mélange de souffrance et d'incompréhension...

— Ne me regarde pas comme ça ! la supplia son amie. J'ai parlé sans réfléchir, ça ne voulait rien dire, c'était juste des mots.

Trop bouleversée pour répliquer, Laetitia se leva et se dirigea vers l'évier sur lequel elle prit appui afin de tourner le dos à Tiphaine.

— Laisse-moi, s'il te plaît, murmura-t-elle enfin entre ses dents.

— Pardon ?

— Prends Maxime et rentrez chez vous, répéta-t-elle sur le même ton.

Tiphaine se leva à son tour et s'approcha. Parvenue juste derrière elle, elle la saisit par les épaules et la tourna doucement face à elle. Les joues de la jeune femme étaient baignées de larmes.

— Ils me manquent tellement, si tu savais ! balbutia-t-elle en lâchant ses sanglots.

Mortifiée, Tiphaine l'attira contre elle tout en continuant de lui demander pardon.

— Tu ne peux pas savoir ce que ça fait de se sentir seule, poursuivit Laetitia sans cesser de sangloter, sans aucune famille pour t'aider, te soutenir, partager ton bonheur, tes doutes ou les épreuves de la vie. Chaque fois que je pense à mes parents, c'est comme si une poigne de fer m'arrachait le cœur... Dire qu'ils n'ont jamais connu David, ni même leur petit-fils... Ils les auraient tellement aimés !

— Je sais, je sais, murmura Tiphaine sans pourtant s'empêcher de penser que si les parents de Laetitia étaient toujours de ce monde, sans doute existerait-il entre eux et leur fille des problèmes relationnels ou des divergences, comme dans toutes les familles. Même plus. Tiphaine n'était pas certaine, lorsqu'elle écoutait Laetitia lui parler de ses parents, que David eût réellement été à leur goût : un ancien tôlard drogué avec un casier judiciaire et sans aucune formation professionnelle était loin de la figure de gendre idéal dont pouvait rêver un couple catholique pratiquant et plutôt conservateur. En vérité, plus elle y pensait, plus elle était persuadée que si les parents de Laetitia vivaient encore, jamais ils n'auraient accepté que David pose ne fût-ce que les yeux sur leur fille.

Ayant déjà mis les pieds dans le plat, Tiphaine s'abstint de partager son opinion.

— Nous aurions été tellement heureux, conclut Laetitia en se mouchant dans le Kleenex que lui tendait son amie.

Celle-ci hocha pensivement la tête. Puis, dans un ultime effort de réconfort, elle déclara :

— Vous êtes heureux ! C'est tout ce qui compte, Laetitia ! David et toi, vous vous aimez, vous avez un magnifique petit garçon, une belle maison... Et puis, nous sommes là, nous ! Sylvain, Maxime et moi, nous sommes un peu votre famille. Tu peux compter sur nous comme si nous avions des liens de sang.

Laetitia leva vers son amie un regard plein de reconnaissance. Puis les deux femmes s'étreignirent.

Chapitre 12

L'amitié est une force dont nul ne peut prétendre pouvoir se passer. On a besoin d'amis, comme on a besoin de manger, de boire ou de dormir. L'amitié, c'est un peu la nourriture de l'âme : elle ravitaille le cœur, elle sustente l'esprit, elle nous comble de joie, d'espoir et de paix. Elle est la richesse d'une vie. Et le gage d'une certaine idée du bonheur.

Le vendredi suivant, au cours de l'apéritif, et tandis que tout le monde profitait du répit de la fin de semaine, Laetitia fut prise d'une émotion aussi soudaine qu'inexpliquée. De ces moments anodins qui, soudain, revêtent une valeur inestimable, sans que l'on sache pourquoi. Ou tout simplement parce qu'ils sont parfaits. Tiphaine venait d'appeler les garçons qui jouaient en haut, dans la chambre de Milo. Leur dîner était prêt, sur la table trônaient deux assiettes remplies du traditionnel spaghetti – jambon – fromage dont les deux enfants raffolaient, un repas exempt de légumes, et donc de dispute ou de menace. David et Sylvain sirotaient leurs verres dans le salon et se charriaient l'un l'autre au sujet d'elle ne savait trop quoi, comme c'était souvent le cas.

Lorsque les garçons descendirent enfin, après que Tiphaine les eut appelés pour la troisième fois, ils déboulèrent dans la salle à manger, hilares.

— Qu'est-ce qui vous fait rire comme ça ? demanda-t-elle, intriguée.

À cette simple question, Maxime et Milo repartirent de plus belle, puisant dans la vue de l'autre la désopilante complicité d'une allégresse partagée. Ils pouffaient sans pouvoir s'arrêter et chaque regard échangé semblait alimenter plus encore leur fou rire. Alertés par ces joyeux éclats, les pères les interrogèrent à leur tour. Peine perdue, les garçons riaient tant qu'ils étaient incapables de leur répondre.

— Qu'ils sont sots ! fit remarquer Sylvain en se mettant à rire lui aussi.

Il est vrai que c'était drôle de les voir se tordre ainsi. Leurs éclats se répondaient en cascade et sans répit. Bientôt, et malgré leur ignorance de ce qui avait causé ce joyeux tumulte, les quatre adultes ne purent s'empêcher de sourire puis de pouffer pour enfin faire écho aux enfants et se bidonner, sans savoir pourquoi.

À présent, les petits riaient encore plus de voir les grands se marrer avec eux.

Laetitia éprouva soudain une émotion intense, celle d'être heureuse et d'en être consciente. Qu'importe que David et elle n'aient plus de famille, malgré la cruauté d'un destin qui ne les avait pas épargnés. Leur famille, n'était-elle pas ici, devant elle, partageant avec eux une gaieté qui avait pour unique force celle d'être là, sans cause apparente ? Deux enfants qu'une même complicité unissait et qui profitaient pleinement de l'insouciance de leur âge. Milo était heureux, et l'image de ce bonheur enfantin lui fit monter les larmes aux yeux – larmes que tout le monde mit sur le compte du fou rire général. De quel droit se plaignait-elle d'être soi-disant isolée ? Tiphaine et Sylvain avaient tous deux une famille qui, pourtant, ne semblait pas les combler davantage...

Laetitia repensa au ressentiment qu'elle avait éprouvé envers Tiphaine lorsque, le week-end précédent, celle-ci avait fait preuve de maladresse au sujet de la famille. Et elle s'en voulut. Elle se reprocha son intransigeance envers cette femme avec laquelle elle partageait tout, hormis les liens du sang, elle qui, au fil du temps, était devenue plus qu'une sœur.

Le calme revint peu à peu et la soirée reprit son cours. Plus tard, lorsqu'elle mit les garçons au lit, juste avant de rejoindre ses amis, Laetitia prit un bout de papier sur lequel elle griffonna deux mots : « Pardonnemoi. » Mais ce ne fut qu'aux alentours de minuit, lorsque Tiphaine et Sylvain s'apprêtèrent à prendre congé, alors que son amie l'aidait à débarrasser la table, qu'elle trouva l'occasion – et le courage – de lui remettre son billet. Celle-ci, intriguée, déplia le bout de papier avant d'en découvrir le message.

Surprise, Tiphaine releva la tête :

— Te pardonner quoi ?

— Je sais, c'est idiot ! s'excusa déjà Laetitia. C'est à cause de ce qui s'est passé le week-end dernier, je m'en veux de t'en avoir voulu...

— Tu deviens folle ?

Laetitia sourit.

— Il faut savoir reconnaître ses torts...

— C'est moi qui ai eu tort. C'est à moi de te demander pardon.

— On ne va pas s'en sortir, comme ça !

Elles éclatèrent de rire toutes les deux. Puis, sans parvenir à dissimuler tout à fait son émotion, Tiphaine replia soigneusement le mot de son amie et le rangea avec soin dans son portefeuille.

Chapitre 13

Le dimanche suivant, ni la lumière blafarde qui bataillait contre les rideaux opaques pour pénétrer dans la chambre, ni l'alarme de son téléphone portable habituellement programmée pour sonner à 6 h 45 ne réveillèrent Laetitia. Arrachée à son sommeil par la désagréable sensation qu'il n'était pas l'heure d'ouvrir les yeux, la jeune femme tâtonna d'une main aveugle sur sa table de nuit à la recherche de son mobile, le trouva et s'en saisit. 7 h 10. L'espace d'une seconde, elle faillit bondir hors du lit pour se précipiter dans la salle de bains avant de s'interroger sur la raison pour laquelle l'alarme ne s'était pas déclenchée...

Elle se souvint alors qu'on était dimanche.

Un bruit sourd assené de l'autre côté du mur la renseigna sur la cause de son réveil à une heure où, ce jour-là précisément, elle était censée pouvoir dormir plus longtemps que les autres matins. Laetitia émit un grognement excédé, enfouit sa tête sous son oreiller tandis qu'un autre coup résonnait derrière la cloison murale. Que Milo l'extirpe des bras de Morphée un dimanche à 7 heures du matin était déjà difficile à supporter. Mais qu'un autre enfant, dont elle n'avait ni la charge ni la responsabilité, se permette de malmener son sommeil, voilà qui était tout simplement exaspérant.

Le coupable n'était autre que Maxime dont la chambre était mitoyenne à la leur. Non seulement le petit garçon avait la fâcheuse habitude de s'éveiller chaque dimanche aux aurores, mais il s'occupait en plus d'une manière aussi bruyante qu'intrusive. Elle l'avait déjà fait remarquer avec gentillesse et compréhension à ses parents qui lui avaient promis que cela ne se reproduirait plus.

Chaque dimanche pourtant, Laetitia était brutalement tirée du sommeil par les activités matinales de Maxime.

Aujourd'hui, il avait choisi de disputer un match de football dont les buts de l'équipe adverse étaient représentés par le mur commun. Connaissant la configuration des lieux, la jeune femme comprit qu'il y avait peu de chance pour que le petit garçon dirige ses tirs vers un autre mur, car tous étaient occupés soit par une bibliothèque, soit par une fenêtre ou un radiateur.

À côté d'elle, David dormait du sommeil du juste, le souffle régulier, rythmé par un léger ronflement, ce qui agaça plus encore Laetitia.

Un instant, elle fut tentée de tambouriner contre le mur, sans être certaine que le message serait compris, encore moins suivi du résultat escompté. Une succession de buts accompagnés par le lointain écho de cris victorieux la mit dans un état d'exaspération qui l'éloignait de plus en plus d'un possible assoupissement. Cette fois bien réveillée, Laetitia se leva, descendit au salon et décrocha son téléphone. À la huitième sonnerie, une voix ensommeillée lui répondit.

— Pardon de te réveiller, Sylvain, déclara-t-elle sans préambule. Maxime joue au foot dans sa chambre et je n'arrive pas à dormir.

Un temps d'hésitation, celui, nécessaire, pour que l'information parvienne aux neurones assoupis de leur propriétaire...

— Ah ? OK... Désolé... Je vais lui demander d'arrêter.

— Merci.

Elle raccrocha, passa aux toilettes – tant qu'à faire – avant de se recoucher. Par-delà la cloison, elle perçut la voix sèche et autoritaire de Sylvain qui confisquait son ballon à Maxime, lequel protesta avec vigueur, ce qui ne fit qu'accroître son ressentiment. Quelques cris de révolte de la part de Maxime, des menaces de Sylvain, puis le silence revint.

Dans un soupir de soulagement, Laetitia se détendit enfin.

Milo, 6 ans, s'extasie devant le dessin d'une étoile filante :

— Oh ! Une étoile de course !

Chapitre 14

Lorsque les beaux jours reviennent après de longs mois d'hiver, c'est comme la fin d'un long tunnel sombre qui débouche en pleine lumière : l'horizon se dégage, les cœurs se réchauffent, les envies s'éveillent, et nous voilà bientôt partagés entre celles de faire mille et une choses et celles de ne rien faire du tout. Ce fut en tout cas le programme que Laetitia mit à l'ordre du jour, cet après-midi-là. Elle déplia le transat tout juste ressorti de la remise, qu'elle orienta face au soleil. Elle retourna ensuite dans le salon chercher un coussin, passa à la cuisine pour se préparer une boisson fraîche, puis dans sa chambre pour récupérer son bouquin, un thriller au suspens insoutenable. Une fois installée, la jeune femme soupira d'aise : sa montre indiquait 13 h 30, il lui restait trois bonnes heures avant d'aller chercher Milo à l'école. Trois heures de détente pure durant lesquelles les seuls frissons autorisés seraient ceux que lui procurerait sa lecture.

Pourtant, un quart d'heure plus tard, elle somnolait. Se laissant glisser dans une torpeur voluptueuse qu'encourageait la douce chaleur du soleil printanier, Laetitia laissa bientôt retomber son livre sur la pelouse.

Le temps se figea dans cet état de béatitude immobile, avant que prenne fin la perfection du moment.

Elle fut brutalement sortie de son indolence. Aucun bruit insolite, aucun mouvement, si ce n'est la sensation d'un trouble indéfinissable qui lui fit ouvrir les yeux. Quelques secondes pour reprendre ses esprits, se souvenir du jour, du lieu, de l'heure, Laetitia se redressa mollement, prit appui sur ses coudes et regarda autour d'elle. Le jardin était aussi désert que lorsqu'elle s'y était installée, et bien que la maison semblât déserte, par acquit de conscience, elle appela :

— David ? C'est toi ?

Puis, l'oreille aux aguets, elle attendit. En service de jour, David n'était censé rentrer à la maison qu'aux alentours de 17 heures.

Laetitia fronça les sourcils.

Puis, après avoir tourné la tête dans toutes les directions, plus pour écouter que pour regarder, elle s'apprêta à replonger dans son bain de soleil.

C'est en s'allongeant pour la seconde fois sur son transat, qu'elle l'aperçut. Du coin de l'œil. Une présence insolite dont la petite silhouette, encadrée par la fenêtre, attira immédiatement son regard. Depuis l'endroit du jardin où elle se trouvait, elle pouvait voir les façades arrière des deux maisons. Même si la haie lui cachait la terrasse de ses voisins et les fenêtres du rez-de-chaussée, elle avait une vue complète sur l'étage. À droite, c'était la chambre de Tiphaine et Sylvain. À gauche, celle de Maxime.

Et c'était bien Maxime qui était en train de se pencher dangereusement par la fenêtre ouverte de sa chambre.

Laetitia bondit sur ses pieds. Durant quelques secondes, elle s'interrogea sur la présence de l'enfant à la maison un jour d'école, puis se rappela qu'il était malade, Tiphaine l'ayant appelée la veille pour lui demander un sirop contre la toux.

— Laryngite, a dit le docteur. Il faut juste combattre la fièvre et lui donner du sirop s'il tousse pendant la nuit... Le reste, ce sont des granules homéopathiques : Aconitum, Spongia Tosta, Hepar Sulfur. J'ai tout ce qu'il faut à la maison, mis à part le sirop...

Tiphaine était une fervente adepte de l'homéopathie, soignant le plus souvent son fils à coups de granules et de tisanes de sa confection. Elle faisait souvent usage de plantes médicinales dont elle connaissait bien les propriétés, et ses études de pharmacie lui étaient d'un grand secours. Laetitia était plus modérée, mais force était de constater que Maxime était rarement malade.

Elle s'approcha de la haie afin de se faire entendre du petit garçon.

— Maxime ! l'interpella-t-elle d'une voix sèche. Rentre tout de suite à l'intérieur !

— Quoi ?

Effrayée, la jeune femme réalisa qu'elle n'obtenait que l'effet inverse : au lieu de reculer, le petit garçon se penchait davantage afin de comprendre ce qu'elle lui disait.

— Bon sang, Maxime ! Recule immédiatement ! cria-t-elle en agitant les bras comme si elle le repoussait vers l'arrière.

— J'ai chaud, gémit l'enfant.

Il était pâle, les yeux cernés, et semblait vaciller d'avant en arrière. Laetitia comprit qu'ayant de la fièvre, il s'était d'instinct mis à la fenêtre pour avoir de l'air.

— Bon sang, où est ta mère ? Tiphaine ! Tiphaine ! hurla-t-elle par-dessus la haie en direction de la maison.

En se hissant sur la pointe des pieds, elle put constater que la porte de la terrasse était ouverte. L'espace d'un interminable moment, elle espéra apercevoir Tiphaine mais celle-ci ne se manifesta pas. Puis, levant les yeux vers la fenêtre, Laetitia étouffa un cri d'effroi tandis que l'horreur lui arrachait le cœur : Maxime avait à présent la moitié du corps penché à l'extérieur, comme s'il cherchait à la rejoindre.

— Je veux ma maman, geignait-il en tendant les bras vers elle.

Elle eut l'impression que l'ensemble des fluides contenus dans son corps venaient à l'instant d'être congelés. Dans un éclair de lucidité qui lui sembla durer une éternité, elle réalisa que si personne n'intervenait dans les secondes qui suivaient, l'irréparable pouvait se produire. Laetitia lança à l'enfant un regard suppliant avant d'ébaucher un geste inutile... Si son sang était glacé, son esprit, quant à lui, était en ébullition et mille questions se heurtaient dans sa tête : l'urgence d'agir, celle de prendre une décision, et surtout la bonne... Elle hurla une fois de plus le nom de son amie, comprit que pour une raison quelconque celle-ci ne l'entendait pas, et se décida enfin à bouger.

En une fraction de seconde, la jeune femme reprit possession de ses moyens et fonça vers sa maison dont elle traversa le salon à la vitesse de l'éclair. Débouchant dans le hall d'entrée, elle hésita à perdre encore de précieux moments pour se munir du double des clés des Geniot – chaque couple possédait un trousseau de la maison voisine, au cas où –, pesa le pour et le contre, décida que le temps perdu à trouver la clé serait aussitôt regagné en pénétrant dans la maison sans attendre qu'on vienne lui ouvrir, et s'arrêta devant le meuble de l'entrée dont elle arracha littéralement le tiroir. Aussitôt ses mains fouillèrent le fatras d'objets inutiles qu'ils amassaient là depuis des lustres, cherchant des yeux le trousseau dont l'absence ajoutait encore à son anxiété. Laetitia étouffa un juron, abandonna finalement le tiroir, reprit sa course vers la porte d'entrée et débaula dans la rue comme si la maison venait de l'expulser. L'instant d'après, elle écrasait son doigt sur la sonnette de ses voisins à coups frénétiques et répétés.

— Ça va pas, non ? cria Tiphaine en ouvrant enfin la porte après de longues secondes d'attente.

Elle était en peignoir de bain, les cheveux enroulés dans une grande serviette rose et sortait visiblement de sa douche.

La colère fit place à l'incompréhension lorsqu'elle découvrit sa voisine sur le pas de sa porte. Laetitia se rua dans le hall d'entrée et se précipita vers la cage d'escalier.

— Maxime, la fenêtre ouverte ! s'exclama-t-elle en guise d'explication.

Ces trois mots résonnèrent dans l'esprit de Tiphaine comme le déclic de l'horreur absolue. Elle hurla le nom de son fils et fila ventre à terre à la suite de son amie, montant les marches quatre à quatre, les mains agrippées à la rampe afin d'avancer plus vite, se propulser à la force de ses bras, de ses jambes, avant de bousculer Laetitia pour la dépasser.

Parvenues à l'étage, et sans ralentir leur course, les deux femmes avisèrent la porte de la chambre du petit garçon. Fermée. Tiphaine fut la première à saisir la clenche et se projeta au même instant contre le battant qui s'ouvrit dans un grand fracas.

Puis, ce fut le silence.

Le soleil inondait la pièce, imprimant sur le mur opposé l'ombre des rideaux furtivement bercés par un vent léger. Le lit était défait. Vide. Tout comme la fenêtre, grande ouverte sur l'enfer dans lequel l'existence de Tiphaine et Sylvain venait de sombrer.

Et celle de Maxime de s'achever.

Chapitre 15

Un cri qui n'en finit pas. Un cri dont l'écho résonna longtemps, secondes d'éternité, comme si le combat que se livraient sans merci le silence et le bruit pouvait encore déjouer le cours du destin. Un torrent aux eaux tumultueuses se fracassait contre la structure trop rigide d'une digue, ondes volages qui allaient et venaient sans relâche, malgré le courant qui s'épuisait, pour bientôt ne plus émettre que le clapotis ténu d'un souffle ultime.

Laetitia se pencha par la fenêtre.

Pour savoir.

L'image qui s'imprima sur sa rétine aussi douloureusement qu'un sceau marqué au fer rouge l'informa qu'il n'y avait plus rien à faire.

Lorsqu'elle se retourna, elle croisa le regard perdu de Tiphaine, ses yeux qui l'interrogeaient, hagards, qui hurlaient déjà, juste avant que jaillisse de sa gorge un cri expulsé par l'horreur, le déni et la douleur.

Un cri qui n'en finit pas.

Et même lorsqu'il s'étrangla enfin, lorsque le souffle se tarit, hoqueta, éructa jusqu'à l'extrême, au moment où le silence s'apprêtait à triompher, un sursaut de conscience raviva l'insupportable évidence, et soudain le cri ricocha contre les parois creuses d'un cœur exsangue pour vibrer à jamais jusqu'au tréfonds d'un souvenir figé dans le temps.

Tiphaine tituba jusqu'à la fenêtre. Laetitia l'agrippa, la retint, voulut l'empêcher de regarder en bas.

Des gyrophares tournoyèrent devant la maison dans laquelle étaient entrés des hommes vêtus de blanc. Blanche aussi la lumière, les voix, les gestes qui s'ébauchent, se figent, reviennent à leur point de départ et reprennent leur course. Se répètent à l'infini. Mots projetés dans les airs, qui errent sans but. Heure du décès : aux environs de 14 heures.

Aux environs...

Chiffres esseulés qui flottent dans un océan d'approximation, se fracassent les uns contre les autres, se délitent pour ne laisser qu'une cruelle solitude.

Maxime n'est plus.

On emmena le petit corps sur lequel ne se reflétaient à présent que les halos bleutés de l'ambulance. Sur le pas de leur porte, les voisins se tenaient immobiles, les bras croisés, en frissonnant et chuchotant. L'horreur venait de frapper tout près, la mort était venue frôler de ses oripeaux funèbres le seuil de leur existence. Ils frémissaient, après coup, comme s'ils l'avaient échappé belle. Murmures. « C'est le petit du 26 qui est tombé par la fenêtre. » « Celui qui suce tout le temps son pouce ? » « Non, ça c'est l'autre, celui du 28. » « Mais oui, tu sais, le petit blond qui ne dit jamais bonjour, avec ses lunettes bleues... Paraît que la mère était dans son bain... »

Quand le silence donne l'assaut, les bruits courent et se transforment en rumeur. Ils filent et se faufilent, se répandent à perdre haleine, d'une bouche trop bavarde à une oreille mal embouchée.

« C'est lequel qui est mort ? » « Celui du 26, paraît que la mère était partie chercher du pain. Quand il a vu qu'il était tout seul, l'enfant a pris peur, il s'est jeté par la fenêtre. » « C'est malin aussi de laisser un enfant de 6 ans tout seul ! »

Après les mots, après les chiffres, restent les larmes. Et le silence. Encore et pour toujours. Celui d'une absence qui hurle dans la tête, dans le cœur, tout au fond des entrailles, qui ne laissera plus ni repos ni paix, si ce n'est la moiteur des regrets.

« L'avait même pas 6 ans, sa mère ne s'en occupait pas, elle avait un problème de boisson, la preuve elle a laissé son gamin tout seul pour aller acheter du vin. Le gosse ne l'a pas supporté, il s'est suicidé. »

Salope !

— Pourquoi tu pleures, maman ?

Laetitia sursauta, comme prise en flagrant délit. Sans trop savoir comment, elle avait trouvé la force d'aller chercher Milo à l'école, accomplir les gestes du quotidien, répondre aux questions anodines de l'enfant, lui demander comment s'était passée la journée, s'il avait bien mangé à la cantine, s'il avait été sage ? Elle fonctionnait au radar, et pour celui qui n'y regardait pas de trop près, elle faisait illusion. Donner le change, juste encore un peu, parce qu'après, elle en prenait peu à peu conscience, rien ne serait plus jamais comme avant.

Tiphaine et Sylvain étaient à l'hôpital, et Laetitia ne savait pas très bien quand ils reviendraient. Que dire à Milo ? Rien, pour le moment. Pas la force d'éponger la peine d'un autre quand la sienne était si grande et si douloureuse. Elle n'avait pas non plus téléphoné à David, craignant que le choc ne le trouble au point de provoquer un accident. Effrayée par la férocité de l'existence, elle préféra attendre qu'il rentre, peut-être aussi pour lui laisser encore un peu de répit. Avant que, pour lui également, le monde bascule dans l'horreur du néant.

En vérité, pendant quelques instants encore, Laetitia voulait prolonger le temps d'avant, celui du bonheur et de l'insouciance, où les seuls soucis liés aux enfants étaient générés par une toux persistante, une insolence proférée avec un regard frondeur, une bêtise inavouée. L'écho de ses lamentations résonnait à son esprit : lorsque Tiphaine et elle se plaignaient de leurs tracas ordinaires, une nuit trop courte, répéter dix fois la même chose, regretter les grasses matinées d'antan, se battre quotidiennement pour faire avaler des fruits et des légumes à ces gamins allergiques à toute source de vitamines...

Sitôt rentré à la maison, Milo avait demandé la permission d'aller jouer chez Maxime. Son copain lui avait manqué à l'école, il voulait lui raconter que Solenne était tombée du muret de la cour de récréation, s'était égratigné le genou, et qu'elle avait beaucoup pleuré. Et aussi que la maîtresse avait puni Léon parce qu'il n'avait pas cessé de bavarder pendant la classe.

— Hein, maman, je peux aller jouer chez Maxime ? Maxime...

Le regard perdu, Laetitia regardait Milo sans le voir. Alors, peu à peu, les conséquences de la disparition du petit garçon déployèrent leurs longs tentacules tortueux, envahirent son esprit, ses pensées, s'enroulèrent autour de son cœur, l'agrippèrent, resserrant inexorablement leur étau sans qu'elle parvienne à se défaire de cette impitoyable étreinte qui bientôt l'oppressa jusqu'à l'étouffer.

— Pourquoi tu pleures, maman ?

Du revers de la main, Laetitia essuya les larmes qui inondaient ses joues. Elle savait déjà que Milo se remettrait difficilement de l'absence de Maxime. Et qu'aujourd'hui, aux environs de 14 heures, avait sonné le glas d'un temps révolu à tout jamais : celui des jours heureux.

Chapitre 16

Quand David rentra, Milo barbotait dans la baignoire. Profitant de ce que l'enfant ne puisse surgir à l'improviste, Laetitia lui raconta tout, son bain de soleil dans le jardin, Maxime penché à la fenêtre, sa tentative désespérée pour éviter la catastrophe, puis la chute fatale... Ils pleurèrent, agrippés l'un à l'autre, et ce fut comme si la mort du petit garçon, soudain parée de mots, se matérialisait au fil du récit, devenait concrète, palpable. Irréversible.

Plus tard dans la soirée, après avoir couché Milo qui ignorait encore tout du sort de son ami, David sortit sur la terrasse pour jeter un œil par-dessus la haie. La lumière provenant de la maison voisine lui indiqua que Tiphaine et Sylvain étaient rentrés. Il se hissa un peu plus, tendit le cou afin d'apercevoir l'intérieur de la maison... Au nombre de silhouettes qui semblaient s'y mouvoir, il supposa que les deux familles s'étaient réunies autour du drame.

— Je ne pense pas que ce soit le moment d'y aller, dit-il en revenant au salon. Le mieux, c'est encore d'attendre demain matin.

David ne put s'empêcher de constater le pouvoir insolite du malheur, qui remet dans l'ordre la hiérarchie des relations humaines. Depuis presque dix années, Tiphaine et Sylvain étaient leurs plus proches amis, et cet attachement était réciproque, il le savait : outre les marques quotidiennes d'amitié et la ribambelle d'anecdotes qui les rapprochaient chaque jour davantage, Sylvain lui avait un jour avoué se sentir plus proche d'eux que des membres de sa propre famille. Il suffit pourtant qu'un événement « extra-ordinaire » bouleverse le cours normal de l'existence pour que la famille biologique reprenne ses droits sur celle du cœur. La puissance du clan était redoutable et les liens du sang indéfectibles, David le vérifia non sans éprouver l'amertume du regret.

Regret d'abord pour sa famille qu'il n'avait jamais connue.

Regret encore pour celle de Laetitia trop tôt disparue.

Regret enfin pour son fils, Milo, orphelin de ces aventures familiales riches de liens et d'entraves, qui nous construisent ou qui nous détruisent mais qui, toujours, nous nourrissent.

Laetitia sortit de sa torpeur.

— J'ai besoin de les voir, murmura-t-elle.

— Je sais.

David la prit dans ses bras.

— Mais ce dont tu as besoin n'entre pas en ligne de compte aujourd'hui. L'important, c'est eux. Et ce dont ils ont besoin, c'est se retrouver ensemble pour pleurer.

— Il faut que je voie Tiphaine, gémit encore Laetitia.

— Pas ce soir... Toute la famille est là. On arriverait comme un cheveu sur la soupe.

À regret, Laetitia capitula.

— Que va-t-on dire à Milo ?

— La vérité.

— Quand ?

100

— Demain. On fera tout ça demain. Ce soir, nous ne pouvons que pleurer.

Alors ils pleurèrent jusque tard dans la nuit.

Le lendemain, ils firent ce qui avait été décidé. Bien que ce fût un jour de semaine et que Milo fut censé aller à l'école, David et Laetitia le gardèrent à la maison. Ils souhaitaient prendre le temps de lui annoncer la cruelle nouvelle.

L'enfant les écouta attentivement, plus intrigué par les atermoiements de ses parents que par la succession de phrases dont la signification lui échappait quelque peu.

— C'est quoi, être mort pour de vrai ?

David et Laetitia échangèrent un regard perplexe.

— Ça veut dire qu'il s'est endormi pour toujours, répondit David avec douceur.

— Et il se réveillera quand ?

Laetitia réprima ses sanglots.

— Il ne se réveillera pas.

L'enfant se tut, tentant de toute évidence de visualiser une réalité trop abstraite pour lui.

— Il est où, maintenant ? demanda-t-il encore.

— Pour l'instant, il est encore à l'hôpital, mais bientôt il sera enterré au cimetière.

— Tu veux dire qu'il va dormir au cimetière ? s'exclama l'enfant en ouvrant de grands yeux ahuris.

— Oui... C'est là qu'on met les morts.

— Il ne faut pas qu'il y aille ! Maxime déteste les cimetières, c'est lui qui me l'a dit !

— Quand t'a-t-il dit cela ?

— Un jour. Quand il est allé voir le papy de son papa.

Puis, revenant à ses préoccupations :

— Il a eu mal quand il est tombé ?

— Oui. Très mal. Mais maintenant, il ne sent plus rien.

— Tu veux dire qu'il est guéri ?

David ne put s'empêcher de soupirer.

— Non, chéri, il n'est pas guéri. Guérir, c'est quand on est vivant. Mais ce qui est sûr, c'est que là où il est Maxime se sent bien, et qu'il ne souffre pas.

Milo observa ses parents d'un œil tracassé. Puis, comme s'il venait de décider que les explications de son père lui convenaient, son visage se détendit.

— Je peux regarder la télé ? demanda-t-il d'une voix presque enjouée.

David et Laetitia semblaient préoccupés.

— Tu as compris ce qui se passe ? l'interrogea Laetitia, inquiète.

L'enfant hocha rapidement la tête.

— Je peux, maman ? S'il te plaît.

— Laissons-lui le temps de digérer la nouvelle, proposa David à voix basse.

Puis, se tournant vers Milo :

— Qu'est-ce que tu veux regarder comme dessin animé ?

— Je pensais qu'on allait tous les trois chez Tiphaine et Sylvain, objecta Laetitia dans un murmure.

— C'est trop tôt pour lui !

Conscients que pas un seul mot n'échappait au petit garçon dont le regard passait de l'un à l'autre avec curiosité, David et Laetitia se turent sans cesser de se dévisager. C'est David qui prit la décision :

— Écoute, bonhomme. Ta maman et moi, nous devons aller quelques instants chez Tiphaine et Sylvain. Mais ce ne sera pas amusant, parce qu'ils sont très, très tristes. Alors voilà ce que je te propose : je te mets un dessin animé, je branche le Babyphone dans le salon et si tu as besoin de quoi que ce soit, tu parles dans l'appareil, d'accord ? Nous, on entendra tout ce qui se passe ici et on arrivera tout de suite. Ça marche ?

— Ça marche, répondit Milo avec un large sourire.

Pendant que David testait le volume du Babyphone, Laetitia monta à l'étage s'assurer que toutes les fenêtres étaient bien fermées. Puis elle vérifia sa mine et sa tenue dans le miroir du hall d'entrée. Elle ne voulait pas paraître trop abattue, estimant qu'elle se devait d'être forte pour aider ses amis du mieux qu'elle le pouvait. Et bien que l'envie d'éclater en sanglots avant même de pénétrer chez ses voisins menaçât dangereusement, la jeune femme se fit violence pour maîtriser ses émotions. Lorsque David la rejoignit, juste avant de quitter la maison, elle le retint quelques instants.

— Tu ne trouves pas qu'il l'a trop bien pris ?

— Qui ? Milo ?

Laetitia confirma d'un mouvement de tête.

— C'est à peine s'il a froncé les sourcils, ajouta-t-elle afin de préciser sa pensée. Je veux dire... C'était comme un frère pour lui !

— Milo a 6 ans. La notion de mort est trop abstraite pour lui. Tu l'as entendu : il ne savait même pas ce que signifie « être mort » ! Il n'y a que le temps qui pourra lui faire prendre conscience de la disparition de Maxime. En attendant, il ne peut pas pleurer sur quelque chose qu'il ne connaît pas.

Laetitia considéra David avec tendresse et admiration.

— J'ai parfois l'impression que tu as fait de hautes études de psychologie... Tout est tellement simple quand tu es là, ajouta-t-elle en se serrant dans ses bras. Je ne sais pas ce que je ferais sans toi.

Ils s'étreignirent puis sortirent. L'instant d'après, ils sonnaient à la porte des Geniot.

Laetitia ne put s'empêcher de penser que, la dernière fois qu'elle avait fait le geste de tendre l'index et d'actionner la sonnette, Maxime vivait sans doute encore. Se retrouvant là, sur le perron de ses amis, à la même place que la veille elle ressentit une nausée qui lui mit le cœur à l'envers.

Sylvain ouvrit la porte.

— Mon Dieu… murmura-t-elle en découvrant son ami dont les traits étaient marqués par la violence du tourment.

Le visage de Sylvain avait vieilli de dix années en une nuit. Son regard s'était à la fois éteint et durci, ses mâchoires semblaient crispées en permanence, il avait le teint gris, et sa barbe naissante, inhabituelle chez lui, achevait de le rendre méconnaissable.

En les découvrant sur le perron, Sylvain se raidit. Il les considéra un court instant d'un œil sombre sans ébaucher le moindre mouvement pour les laisser entrer.

Laetitia ne perçut pas tout de suite le malaise suscité par leur présence. Bouleversée, elle se jeta dans les bras de Sylvain et donna libre cours à son chagrin. Il se figea avant d'écarter un tant soit peu les bras, comme si l'accolade de son amie le dérangeait. Laetitia, pourtant, s'abîmait dans son étreinte. Ce n'est qu'au bout de plusieurs longues secondes que la rigidité glaciale de Sylvain et son absence totale de réaction la déconcertèrent. Elle se détacha de lui, fit deux pas en arrière et le considéra avec étonnement.

— Salut, vieux, murmura David. On… On est venus voir comment vous alliez.

— Mal, répondit Sylvain en dardant sur Laetitia un douloureux regard.

— Tiphaine est là ? demanda-t-elle en percevant cette fois clairement que quelque chose ne tournait pas rond.

Quelque chose qui, du moins, ne concernait pas tout à fait la mort de Maxime.

Sylvain ignora sa question et s'adressa directement à David.

— On a besoin d'être un peu seuls pour le moment. Désolé.

Puis il referma la porte sans rien ajouter.

Chapitre 17

Durant un long moment, David et Laetitia restèrent plantés devant la porte, sans parler ni bouger, tant l'incompréhension et la douleur malmenaient leurs émotions. Puis, lentement, Laetitia tourna vers David un regard ravagé par la détresse.

— Qu'est-ce qui se passe ? balbutia-t-elle en sanglotant. Pourquoi... Pourquoi ne veulent-ils pas nous voir ?

— Viens, rentrons, murmura David en la prenant par les épaules.

Rentrer... Impossible ! Le cœur de Laetitia se déchira à la seule idée de devoir faire demi-tour, réintégrer ses murs entre lesquels elle tournait en rond depuis la veille, parce que là, chez elle, elle se sentait inutile, saturée de chagrin et de pitié. Besoin d'agir, de bouger. D'être là. Présente. Parler, étreindre, mêler ses larmes à celles de ses amis, veiller sur leur douleur et tenter, dans la mesure de l'impossible, d'en atténuer le calvaire. Prendre les choses en main. Trouver les mots qui apaisent, ceux qui se cachent dans le cœur, dans les tripes ou encore dans les replis de sa propre souffrance, tel un jeu de cache-cache dont le décompte égraine le temps pour débusquer enfin l'onguent qui anesthésiera, même l'espace d'un court instant, cette plaie monstrueuse.

Elle se dégagea avec violence.

— Non ! Je veux savoir pourquoi ils ne veulent pas nous voir !

— Sylvain n'a jamais affirmé qu'ils ne voulaient pas nous voir, rétorqua David. Il a seulement dit qu'ils avaient besoin d'être seuls pour le moment. Nous devons respecter ce souhait. Rentrons, maintenant.

La détermination de David eut raison du tourment de Laetitia : quelques minutes à peine après être sortis de chez eux, ils étaient de retour, ébranlés par leur courte entrevue avec Sylvain.

Durant l'heure qui suivit, la jeune femme ne cessa de ressasser les quelques mots échangés avec lui, se remémorant chaque geste, chaque phrase, chaque regard. Et plus elle y pensait, plus elle était persuadée que la douleur n'était pas l'unique raison de la froideur de Sylvain.

Il y avait autre chose.

Cette chose errait dans sa conscience, aussi corrosive que l'intuition d'une méprise. Et l'impossibilité de la formuler lui mettait les nerfs à vif. Mille fois elle décrocha son téléphone afin de parler à Tiphaine, clarifier la situation et l'assurer de son indéfectible amitié… Mille fois elle coupa la communication avant d'avoir composé le numéro, consciente du caractère dérisoire de ses états d'âme comparé à de la virulence des affres dans lesquelles se débattait son amie.

Alors, pour la première depuis le drame, Laetitia repensa à ce qui s'était réellement passé. La première chose qui lui vint à l'esprit fut une question, aussi simple dans son énoncé qu'effroyable dans sa réponse : comment Tiphaine avait-elle pu laisser son fils de 6 ans seul dans sa chambre, avec la fenêtre grande ouverte ?

Bouleversée par cette pensée, la jeune femme eut tout juste le temps de courir aux toilettes pour y rendre le peu de nourriture qu'elle avait réussi à ingurgiter depuis la veille. La vacuité de son estomac ne lui apporta aucun soulagement, si ce n'est celui de comprendre l'attitude de Sylvain à leur égard. De quelle façon Tiphaine allait-elle pouvoir surmonter l'intolérable culpabilité d'être responsable de la mort de son fils ? Imprudence, distraction, insouciance ? Quelle que soit l'origine d'une telle inconséquence, Laetitia comprit qu'aux yeux de son amie, elle était désormais devenue l'unique témoin de sa coupable omission. Et qu'à ce titre, elle représentait désormais pour Tiphaine la personnification de sa faute.

Comment survivre à cette épreuve ?

Malgré l'horreur de ses réflexions, Laetitia se sentit quelque peu apaisée par son analyse. Du moins pouvait-elle à présent comprendre la raison pour laquelle Tiphaine et Sylvain ne voulaient, ne pouvaient les voir dans l'immédiat.

Une fois de plus, David avait vu juste : la seule chose à faire, c'était de leur laisser du temps.

— Je peux aller jouer chez Maxime ?

Laetitia tressaillit. Elle tourna vers son fils un regard interdit et, devant la candeur de l'enfant, ne sut quelle attitude adopter.

— Milo, je... Tu te souviens de ce que papa et moi t'avons dit ce matin au sujet de Maxime ?

Le petit garçon baissa la tête tout en marmonnant quelques mots que Laetitia ne comprit pas. Avec douceur, elle lui releva le menton et lui demanda de répéter.

— J'ai pas dit que je voulais jouer AVEC Maxime... J'ai dit que je voulais aller jouer CHEZ Maxime, précisa-t-il d'un ton boudeur.

Cette demande pour le moins inattendue laissa Laetitia plus démunie encore.

— C'est impossible, mon petit cœur...

— Pourquoi ?

— Parce que... Parce que, à cause de ce qui s'est passé hier, Tiphaine et Sylvain sont tellement tristes qu'ils ont besoin d'être seuls. Tu comprends ?

Pour toute réponse, Milo éclata en sanglots. Bouleversée, Laetitia le prit dans ses bras et entreprit de consoler l'enfant, berçant son chagrin dans la douceur de ses mots.

— Pleure, mon tout petit, lui dit-elle dans un murmure. Pleure, ça fait du bien, tu ne dois pas garder ta peine en toi...

Elle serra son fils tout contre elle, à la fois meurtrie par sa douleur et en même temps soulagée de le voir enfin exprimer sa tristesse. Le matin même, lorsqu'ils lui avaient appris la disparition de Maxime, elle s'était sentie perturbée par le manque de réaction de Milo, presque déçue de n'avoir pu apaiser sa souffrance.

Enfin, elle se sentait utile à quelque chose.

— Maxime va beaucoup nous manquer, continua-t-elle sans cesser de serrer le petit corps sanglotant. Et personne ne pourra jamais le remplacer. Mais je te promets, mon amour, je te promets qu'avec le temps, la grosse boule qui pèse dans ton ventre va finir par s'alléger. Et puis un jour, elle disparaîtra complètement. Ça ne voudra pas dire que tu n'aimes plus Maxime, ça voudra juste dire...

— J'ai pas de boule dans mon ventre, fit remarquer le garçonnet entre deux spasmes.

— Peut-être pas une boule comme tu l'entends, mais je sais que tu as mal. Moi aussi, j'ai mal. Tout comme papa. Et c'est normal, mon cœur. Nous aimions tous beaucoup Maxime.

— C'est pas pour ça que je veux aller jouer chez lui, déclara Milo en séchant ses larmes.

— Pourquoi veux-tu aller jouer chez lui alors ?

— Je dois aller chercher Tilapou.

— Tilapou ? Tilapou est chez Maxime ?

Tilapou était un lapin en chiffon aux longues oreilles, vêtu d'une salopette en jean et coiffé d'une casquette, et figurait en bonne place parmi les doudous préférés de Milo. Il n'était pas le plus précieux ni le plus aimé, mais l'enfant y tenait suffisamment pour que Laetitia fermât les yeux en soupirant lorsqu'il hocha la tête.

Il n'était pas rare que les garçons se prêtent leurs jouets ou qu'ils les oublient l'un chez l'autre depuis qu'ils étaient en âge de transbahuter leurs affaires. Rien d'extraordinaire à ça. Jusqu'à ce jour, ces prêts et ces étourderies étaient sans conséquence : dès que l'un d'eux émettait le désir de récupérer son jouet ou sa peluche, les mères se téléphonaient et quelques minutes plus tard, le petit propriétaire recouvrait son bien.

— Je veux Tilapou, gémit Milo.

Laetitia se voyait mal téléphoner à Tiphaine pour lui demander d'aller chercher Tilapou dans la chambre de son fils décédé la veille et de le lui rapporter.

— Écoute, Milo, on récupérera Tilapou, je te le promets. Mais pas aujourd'hui.

— Mais il est à moi, Tilapou ! se révolta-t-il d'une petite voix chancelante tout en portant sur sa mère un regard chargé d'incompréhension.

— Je sais, mon ange. Mais je ne peux vraiment pas aller le chercher maintenant. Il faut attendre un petit peu.

À ces mots, le menton de l'enfant se remit à trembler tandis que ses joues étaient inondées de larmes, dont l'abondance brisa encore le cœur de Laetitia, faisant vaciller ses certitudes. Et si elle téléphonait tout de même à Tiphaine ? Que Tilapou soit le prétexte pour parler à son amie, forcer le barrage de la souffrance comme on réduit une fracture, douloureusement mais nécessairement ?

— Calme-toi, mon cœur... reprit-elle en séchant les larmes de son fils. Je vais voir ce que je peux faire.

Prenant son courage à deux mains, elle s'approcha du téléphone.

Puis, avec lenteur, elle composa le numéro de Tiphaine et Sylvain.

Alors que les premières sonneries retentissaient déjà à son oreille, elle perçut une panique sourde l'envahir. Que dire à son amie ? Quels mots choisir ? Comment justifier l'insistance à vouloir s'imposer, comme une obstination à la limite de l'acharnement ?

Les tonalités se succédaient, aussi identiques qu'indifférentes, prolongeant le calvaire de Laetitia. Son cœur battait à tout rompre, elle réalisa bientôt qu'elle redoutait d'entrendre la voix de Tiphaine autant que son silence. Ils étaient chez eux, elle le savait, et cette certitude ajoutait encore à son supplice.

Le répondeur se déclencha au bout de douze sonneries.

Chapitre 18

Figée devant son téléphone, Tiphaine fixait sans vraiment la voir l'inscription digitale affichée sur l'écran, qui l'informait de l'origine de l'appel : « Brunelle ». L'appareil retentissait de son timbre strident, déchirant le silence qui régnait dans la maison. Un silence plus implacable encore que les manifestations criardes de l'appel téléphonique.

Chaque sonnerie était comme une lame tranchante qui la transperçait de part en part. Une succession de décharges électriques, la laissant exsangue entre chacune d'elles. Et chaque sonnerie la happait dans l'abîme d'un univers hostile, celui dont elle était désormais prisonnière. Comment trouver la force de se mouvoir sur cette terre quand l'être le plus cher l'avait désertée à tout jamais ?

Jamais la jeune femme n'avait imaginé qu'une souffrance morale fut à ce point physique.

Ne pas penser. Chasser les mots, les idées, les images qui tournoient sans fin dans la danse infernale d'une impitoyable détresse. Remettre à la seconde suivante la conscience d'une vérité inavouable. Se taire. Ne pas bouger. Retenir pour quelques instants encore l'illusion d'un but à atteindre. Et lorsque cette seconde-là sera passée, recommencer, tout en boucle.

Le téléphone se tut enfin. Alors, comme s'il avait été l'ensecret qui relie de fils la marionnette à sa croix, Tiphaine s'effondra sur le sol et pleura, surprise d'avoir encore des larmes.

Chapitre 19

Jamais Laetitia n'avait senti aussi péniblement le temps passer dans la lenteur et l'inaction. On eût dit que la souffrance s'était matérialisée en une sorte de mélasse qui engluait tout, les secondes comme les gestes, les figeant dans une immobilité dont il était difficile, presque douloureux, de se dégager. Les différentes étapes de la journée avaient perdu toute notion de chronologie et la jeune femme avait la sensation d'être condamnée à errer sans fin dans une cellule en suspension au milieu d'un temps mort qu'elle s'escrimait à tuer à coups de pensées et d'occupations. Or, il lui était impossible d'entreprendre quoi que ce fût, encore moins de mener à bien une réflexion cohérente et sensée.

Une seule idée l'obsédait : être auprès de Tiphaine. Tout le reste se noyait dans une futilité aussi odieuse qu'exaspérante. Il lui fallait pourtant s'occuper de Milo qui, sensible à l'égarement de sa mère, déploya des trésors d'imagination pour attirer son attention : bêtises, provocations et colères menèrent enfin Laetitia au bout de cette interminable journée.

La nuit ne fut pas plus reposante. En proie à un sommeil chaotique, elle se revit dans la chambre de

Maxime, dans les mêmes conditions que l'après-midi du drame : le lit défait, la lumière du soleil jouant avec l'ombre des rideaux et la fenêtre ouverte. Elle était seule au centre de la pièce et, pour une raison qu'elle ignorait, une force la poussait à marcher jusqu'à la fenêtre. Là, elle se vit penchée au-dessus du vide, persuadée de découvrir le corps inerte de Maxime... Sauf qu'à la place du petit garçon, un Tilapou à taille humaine gisait sur les dalles de la terrasse. Sa première réaction fut de ressentir un énorme soulagement jusqu'à ce que, se retournant, elle découvre Milo replié sur lui-même, le visage caché dans les mains et le corps secoué de sanglots.

Ce cauchemar la hanta jusqu'à l'aube où elle finit par sombrer dans la torpeur d'un repos qui n'avait rien de réparateur. Au réveil, la signification de ce rêve absurde ne cessa de la tourmenter. Heureusement, la course du matin chassa bientôt ses démons pour laisser place à des préoccupations beaucoup plus terre à terre : préparer le petit déjeuner, réveiller Milo qui affirma avoir bien dormi, l'habiller, le conduire à l'école.

En pénétrant dans le hall de l'établissement scolaire, Laetitia retint son souffle : sur un chevalet de fortune, la photo de Maxime avait été exposée, ornée d'un ruban noir. Juste à côté, une table sur laquelle reposait un cahier à l'élégante reliure invitait tous ceux qui le désiraient à écrire quelques mots de condoléances. Devant ce funèbre dispositif, nombre de parents s'attardaient, s'interrogeant ou racontant ce qu'ils savaient, ce qu'ils avaient entendu dire. De son côté, la direction avait particulièrement bien fait les choses : il était prévu qu'au cours de la journée, une psychologue vienne rendre visite aux enfants de la classe de Maxime afin de parler avec eux et d'évoquer l'accident dans lequel leur petit camarade avait trouvé la mort.

Connaissant les liens étroits d'amitié qui liaient les deux enfants, la maîtresse accueillit Milo avec une attention toute particulière. Elle s'enquit ensuite auprès de Laetitia de la manière dont il avait réagi à l'annonce du décès de son ami. Celle-ci lui relata en quelques mots la façon dont les choses s'étaient déroulées, sans omettre d'évoquer l'épisode « Tilapou ».

— J'avais presque la sensation que l'absence de Tilapou lui faisait plus de peine que celle de Maxime, déclara-t-elle d'une voix sombre en achevant son récit.

— Ne l'interprétez pas comme ça, la rassura l'institutrice. La disparition de Maxime est encore abstraite pour lui, tandis que celle de Tilapou est bien réelle. Prendre conscience du décès de son meilleur ami, à cet âge-là, est un processus trop brutal et votre fils se défend comme il peut. Pour l'instant, il substitue cette absence à celle de son doudou. C'est plus supportable. Néanmoins, il va nous falloir être particulièrement vigilants au cours des prochaines semaines. Nous devons l'aider à faire le deuil de Maxime. Et non celui de Tilapou.

Pensive, Laetitia hocha la tête tandis que son cauchemar de la nuit traversa ses pensées.

— Madame Brunelle, enchaîna l'institutrice, j'aurais aimé savoir : avec l'accord des parents de Maxime, nous comptons emmener certains de ses camarades parmi les plus proches pour assister à ses funérailles, du moins ceux qui le souhaitent et pour lesquels nous avons l'autorisation des parents. Des représentants du personnel de l'école seront également présents, dont je fais partie. En ce qui concerne Milo...

— Les funérailles de Maxime ? s'étonna Laetitia. Elles sont déjà prévues ?

L'institutrice ne dissimula pas sa surprise.

— Maxime sera enterré au cimetière de la ville, lundi prochain, à 10 heures. Vous l'ignoriez ?

Laetitia dévisagea l'enseignante. Découvrir que l'école tout entière avait connaissance d'une information aussi capitale que la date et l'heure de l'enterrement de Maxime, alors qu'elle-même – qui pourtant faisait partie du cercle intime de l'enfant – l'ignorait, lui coupa le souffle. Très perturbée par cette nouvelle, Laetitia acquiesça, pressée de prendre congé.

— J'imagine que vous vous rendrez au cimetière de votre côté, poursuivit l'institutrice, consciente d'un malaise qu'elle désirait chasser au plus vite. Mais ce qui m'importe de savoir, c'est si vous souhaitez que Milo y assiste également et, dans ce cas, s'il vous accompagnera ou s'il s'y rendra avec ses petits camarades de l'école.

Prise de court, Laetitia ne sut que répondre.

— Pour une question d'organisation, nous avons besoin de connaître le nombre d'enfants qui se déplaceront jusqu'au cimetière, insista l'enseignante. Vous comprenez ?

— Nous prendrons Milo avec nous, répondit enfin Laetitia. Sans doute que ce jour-là, il n'ira pas à l'école. Nous le garderons toute la journée.

D'un signe de la tête, l'institutrice lui signifia qu'elle prenait bonne note de l'information. Puis, avec autant de diplomatie que de soulagement, elle salua Laetitia avant de réintégrer sa classe.

Une fois dans la rue, la jeune femme affronta la tempête de questions qui ravageait son esprit : pourquoi Tiphaine et Sylvain ne les avaient-ils pas prévenus des modalités des obsèques de Maxime ? Qu'est-ce que cela signifiait ? S'agissait-il d'une simple négligence due au chagrin, à l'égarement de la douleur, à l'accablement ? Ou au contraire était-ce d'une omission mûrement réfléchie ?

Et dans ce cas, pourquoi ?

Soudain, le refus de les recevoir, et même celui de répondre au téléphone depuis le drame lui apparurent comme l'expression d'un rejet manifeste. Toutes les interprétations qu'elle avait données à l'attitude de Tiphaine et Sylvain se délitèrent dans le marasme de ses doutes. Laetitia pressa le pas tout en composant sur son portable le numéro de son bureau : elle avertit qu'elle aurait du retard et, sans plus attendre, se précipita chez ses voisins.

Chapitre 20

Tiphaine lui ouvrit la porte. Découvrant Laetitia, elle se referma comme une huître. On eût dit qu'une armure invisible se matérialisait par déploiement instinctif, comme un animal blessé se réfugie sous sa carapace.

— Qu'est-ce que tu veux ? lui demanda-t-elle d'une voix à peine audible.

Cette entrée en matière sur la défensive confirma les craintes de Laetitia.

— Tiphaine, bon sang ! Que se passe-t-il ? Pourquoi... Pourquoi nous rejetez-vous comme ça ?

La question sembla agir comme un électrochoc sur Tiphaine. Son visage se contracta sous l'effet de la douleur. Avant même que Laetitia ne prenne conscience de ce qui se passait, elle éructait sa souffrance. Et sa colère.

— Tu me demandes ce qui se passe ? articula-t-elle comme si chaque mot était une lame qui la déchirait avec une lente minutie. Mon fils est mort, Laetitia ! Mon petit garçon, l'être que j'aime le plus au monde, celui sans qui je ne suis plus rien est mort quasiment sous tes yeux. Peut-être même l'as-tu vu tomber ? Comment savoir ? Où étais-tu quand il a basculé ? Qu'as-tu fait pour l'empêcher de se tuer ? Ah oui, laisse-moi me souvenir : tu prenais un bain de soleil !

Le séisme qui ébranla le sol sous les pieds de Laetitia manqua de la faire vaciller. Lorsqu'elle parvint enfin à maîtriser son équilibre, elle se sentit happée par les affres d'un vertige dont, durant d'interminables secondes, elle crut qu'il n'aurait pas de fin.

— Tu deviens folle ? s'exclama-t-elle en ouvrant de grands yeux ahuris tandis qu'elle se mettait à trembler de tous ses membres. Je... Je t'interdis de me faire porter la responsabilité de ce qui s'est passé ! J'ai tout fait pour éviter qu'il tombe !

— C'est faux, Laetitia ! La seule chose que tu as faite, c'est l'abandonner, livré à lui-même devant sa fenêtre grande ouverte ! Un enfant de 6 ans, seul au-dessus d'un vide de plus de quatre mètres ! Et toi, tout ce qui te vient à l'esprit, c'est venir sonner à la porte ? Tu crois vraiment que c'est ce qu'il fallait faire ?

Laetitia devenait exsangue et, peu à peu, prenait conscience de l'enfer dans lequel elle glissait inexorablement. Tiphaine l'accusait du pire. Sa plus chère amie, sa plus fidèle alliée, sa presque sœur lui imputait ce que personne au monde ne pouvait souhaiter à son pire ennemi.

— Il fallait que je te prévienne ! tenta-t-elle dans un cri qui ressemblait à un râle d'agonie.

— Non ! éructa Tiphaine en roulant des yeux fous. Tout ce que tu devais faire, c'était rester auprès de lui pour l'empêcher de tomber. Lui parler, le rassurer, lui faire entendre raison.

— J'ai essayé ! s'insurgea Laetitia dans le sursaut d'une vaine confiance en un retour à la raison de Tiphaine. Mais c'était pire, il se penchait encore plus pour entendre ce que je lui disais !

La jeune femme n'en revenait pas. Les accusations de son amie la pétrifiaient sur place et, une nouvelle fois, elle fut étourdie par l'incompréhension.

— D'ailleurs qui me dit que ce ne sont pas tes coups de sonnette frénétiques qui l'ont surpris et fait tomber ? poursuivit Tiphaine sans même écouter les justifications de Laetitia.

— Tiphaine ! Tu n'as pas le droit de dire ça !

— De toute façon, jamais tu n'aurais dû t'éloigner, quitte même à te placer sous la fenêtre pour le rattraper, pour amortir sa chute. Si tu avais fait cela, si tu avais eu la bonne réaction, il serait toujours en vie !

— Comment voulais-tu ? La haie m'empêchait d'accéder à votre jardin !

Cette dernière remarque alluma un éclair de folie dans le regard de Tiphaine.

— C'est toi qui me poses cette question ? hurla-t-elle en cédant à l'hystérie. En effet, la haie t'empêchait d'accéder à notre jardin ! Sauf qu'à la place de cette foutue haie, il devait y avoir un portail, tu te souviens ? Un portail qui aurait permis que tu sauves mon fils !

L'argument tétanisa Laetitia qui, réalisant enfin l'impossibilité d'avoir un échange sensé avec son amie en de telles circonstances, ne trouva rien à répliquer. Alors dans le silence de leur confrontation, Tiphaine la toisa d'un douloureux regard chargé de rancœur.

— Je ne dis pas que tout est de ta faute, murmura-t-elle en éclatant en sanglots. Mais ce dont je suis certaine, c'est que tu aurais pu empêcher le pire.

Chapitre 21

Les cinq malheureux mètres qu'il lui fallut parcourir pour regagner sa maison parurent infranchissables à Laetitia. Après l'avoir clairement accusée d'être en partie responsable de la mort de son fils, Tiphaine lui avait claqué sans pitié la porte au nez, la laissant seule sur le trottoir, ravagée par la détresse et l'incompréhension. L'espace d'un instant, la jeune femme faillit céder à la tentation de tambouriner à la porte, saisie par le violent espoir de faire réagir son amie, du moins lui parler encore, s'expliquer ou même s'envoyer des horreurs au visage, tout plutôt que cet insupportable rejet.

Un reste de dignité la retint.

Elle tituba jusqu'à sa porte, entreprit de l'ouvrir en insérant sa clé dans la serrure, dut s'y reprendre plusieurs fois tant les larmes l'aveuglaient. Sitôt seule à l'intérieur, elle s'écroula dans le hall et y demeura prostrée. Longtemps. Ou peut-être juste quelques minutes. Les reproches de Tiphaine valsaient autour d'elle, mots assassins dont l'écho se répétait sans fin, ricochant contre les murs de l'entrée d'abord, puis contre les parois de sa boîte crânienne, ne lui laissant aucun répit.

« La haie t'empêchait d'accéder à notre jardin ! Sauf qu'à la place de cette foutue haie, il devait y avoir un portail, tu te souviens ? Un portail qui aurait permis que tu sauves mon fils ! »

Si le portail avait été installé comme Tiphaine et Sylvain l'avaient souhaité, aurait-elle pu sauver Maxime ? Ou bien le degré de douleur était tel que Tiphaine, incapable d'avoir une vision réaliste des événements, et pour une question de survie mentale, ne pouvait que rejeter la faute sur elle ? Dans un sursaut de cohérence, Laetitia tenta de s'accrocher à cette idée, mais la virulence des attaques de son amie l'emporta finalement : à mesure que l'idée s'insinuait en elle, elle sentit l'affolement la gagner au point que, bientôt, elle fut convaincue de son implication, même indirecte, dans le drame.

Dévastée, elle se traîna jusqu'au meuble du téléphone et composa le numéro du portable de David. Celui-ci mit quelques minutes à comprendre les raisons d'une si grande détresse, tant les sanglots de Laetitia ravageaient son esprit et ses propos.

« Ne bouge pas, j'arrive ! lui ordonna-t-il avant de raccrocher.

Un quart d'heure plus tard, il sonnait à son tour à la porte de ses voisins.

L'affrontement fut aussi court qu'impitoyable. Lorsque Tiphaine lui ouvrit, David exigea de pouvoir entrer afin de mettre les choses au clair.

— Laissez-nous tranquilles ! gémit-elle en refermant déjà la porte sur lui.

Mais avant qu'elle n'ait achevé son geste, David glissa précipitamment son pied dans l'entrebâillement, bloquant ainsi la fermeture du battant.

— Il faut qu'on parle ! lui intima-t-il d'un ton plus sec qu'il ne l'aurait souhaité.

L'intrusion forcée de David ainsi que son intonation fut perçue par Tiphaine comme une attaque. Aussitôt sur la défensive, elle se raidit et le toisa d'un regard féroce.

— Retire ton pied, David, ou j'appelle la police.

— Tu ferais ça ? répliqua-t-il avec aigreur.

— Sans l'ombre d'une hésitation.

David mesura l'inflexibilité de sa voisine et comprit qu'elle avait dépassé le stade du raisonnement cohérent.

— Où est Sylvain ? Je veux lui parler ! tenta-t-il encore.

Pour toute réponse, Tiphaine plongea la main dans sa poche, en sortit son portable et le brandit devant David.

— Si dans cinq secondes tu n'as pas retiré ton pied, j'appelle les flics.

David la dévisagea sans cacher son incompréhension.

— Je sais que la mort de Maxime est une chose insoutenable, Tiphaine, mais...

— Quatre secondes.

— Tu n'as pas le droit de rendre Laetitia respondable de ce qui s'est passé, poursuivit-il, imperturbable.

— Trois secondes.

David la considéra avec douleur. De son côté, Tiphaine soutint son regard comme si elle était désormais désincarnée, simple spectatrice d'une anicroche qui ne la concernait en rien. Au bout de quelques secondes, elle soupira et commença à pianoter sur le clavier de son portable.

— Laisse tomber, Tiphaine, murmura alors David en retirant son pied.

Celle-ci le considéra un court moment avec lassitude puis, sans le quitter des yeux, elle referma sèchement la porte.

Resté seul sur le trottoir, David serra les dents, en proie à un sentiment d'impuissance, plus insupportable que les accusations délirantes de Tiphaine. Il eut beau retourner le problème dans tous les sens, il sut d'instinct qu'il ne pouvait rien faire dans l'immédiat, si ce n'est rentrer chez lui et rejoindre Laetitia, la rassurer, tenter d'apaiser ses angoisses, extraire le venin de culpabilité que Tiphaine avait injecté dans sa conscience.

À regret, il fit demi-tour.

Pourtant, juste avant de rentrer chez lui, il leva les yeux vers les fenêtres du premier étage de la maison des Geniot. Une silhouette se tenait derrière celle de gauche, immobile, à demi dissimulée derrière un pan de rideau. David reconnut Sylvain, dont la posture parlait d'elle-même : il l'épiait.

David s'écarta du trottoir pour faire face à Sylvain. L'espace d'une seconde, il crut que celui-ci allait ouvrir la fenêtre et lui parler... Il n'en fut rien.

Sylvain demeura là de longues secondes, sans bouger, comme transformé en statue... Les deux hommes s'observèrent quelques instants, puis Sylvain baissa la tête.

Alors, il fit un pas en arrière et tira sur lui le rideau d'un geste sec.

Chapitre 22

Ni la lumière blafarde qui bataillait contre les rideaux opaques pour pénétrer dans la chambre, ni l'alarme de son téléphone portable habituellement programmée pour sonner à 6 h 45 ne réveillèrent Laetitia. Arrachée à son sommeil par la désagréable sensation qu'il n'était pas l'heure d'ouvrir les yeux, la jeune femme tâtonna d'une main aveugle sur sa table de nuit à la recherche de son mobile, le trouva et s'en saisit. 7 h 10. L'espace d'une seconde, elle faillit bondir hors du lit pour se précipiter dans la salle de bains avant de s'interroger sur la raison pour laquelle l'alarme ne s'était pas déclenchée. Elle se souvint alors qu'on était dimanche.

Laetitia porta la main à son front en gémissant. À côté d'elle, David dormait du sommeil du juste, le souffle régulier, rythmé par un léger ronflement, ce qui l'agaça. Pourquoi se réveillait-elle si tôt ? Tout était calme, aucun bruit ne venait perturber la tranquillité sereine de ce dimanche matin...

Soudain la jeune femme se raidit dans son lit. Elle venait de comprendre ce qui l'avait sortie du sommeil : le silence, justement. Le néant. Le vide.

La mort.

D'habitude, c'était le vacarme provoqué par les activités matinales de Maxime qui la tirait du lit. Ce jour-là, c'était son insoutenable absence contre laquelle elle ne pouvait pas tambouriner sur le mur, encore moins téléphoner à Tiphaine et Sylvain pour qu'ils fassent la leçon à leur fiston.

Elle dut se résoudre à garder les yeux grands ouverts, regrettant le temps béni où Maxime, tous les dimanches matin à 7 heures, jouait au foot dans sa chambre, prenant comme cible le mur mitoyen.

Chapitre 23

David et Laetitia hésitèrent sur la décence de se rendre ou non à l'enterrement de Maxime : d'un côté, l'attitude de Tiphaine et Sylvain à leur égard révélait clairement qu'ils n'étaient pas les bienvenus, d'autant plus qu'ils n'avaient pas été personnellement conviés. D'un autre, leur absence aurait pu induire une preuve de la culpabilité de Laetitia, ce qui était totalement faux.

David était d'avis d'y aller, la tête haute, sans provocation mais avec dignité. Laetitia, quant à elle, craignait que leur présence ne déclenche un esclandre ; elle n'était plus sûre de rien, encore moins de la bonne santé mentale de son amie. La question était d'autant plus délicate que Milo serait là, et ni David ni Laetitia ne souhaitaient qu'il soit le témoin des délires insensés de sa marraine. Comment réagirait-il si Tiphaine les obligeait à quitter les lieux ? Comment lui expliquer le différend qui les opposait à présent, eux qui avaient toujours été proches et complices ? Sans compter qu'à tout cela s'ajoutait l'immense chagrin lié au décès de Maxime : ils l'avaient vu naître, grandir, évoluer, s'épanouir, ils s'y étaient attachés, l'avaient aimé, presque autant que leur propre enfant... Ne pas assister à ses funérailles était tout simplement inconcevable.

Ce dernier argument fit pencher la balance : ils iraient à l'enterrement.

Ils s'y rendirent en effet, sur la défensive pour David, dans un état second pour Laetitia. Ils avaient obtenu les détails du déroulement de la cérémonie par l'institutrice des enfants : les obsèques débutaient à 10 heures, au funérarium où il était prévu que parents, famille et amis rendent un dernier hommage à l'enfant.

En pénétrant dans les lieux, Laetitia s'efforça de ne pas chercher Tiphaine du regard. La dernière fois qu'elle avait assisté à un enterrement, c'était pour celui de ses parents, et l'atmosphère si particulière de l'endroit la saisit à la gorge dès son arrivée. Son cœur se mit à cogner dans sa poitrine avec une telle violence qu'elle ralentit le pas malgré elle, tandis que, dans son dos, David exerçait une légère pression pour l'encourager à avancer. Elle s'exécuta vaillamment, pressée de se fondre au plus vite dans la foule afin de ne pas se faire remarquer. Parvenue à la lisière du rassemblement, Laetitia s'arrêta.

— Continue, lui souffla David à l'oreille. Rapprochons-nous du cercueil.

D'instinct, elle secoua la tête. Elle avait la sensation d'être incapable de faire un pas de plus.

— Avance ! lui intima-t-il.

— Je ne peux pas, gémit-elle en tournant vers lui un regard dévasté par l'angoisse.

David la saisit par le poignet, passa devant elle et l'entraîna dans son sillage. Elle se laissa conduire, Milo sur les talons. Lorsqu'ils atteignirent les premiers rangs, David repéra trois chaises vides sur lesquelles ils s'installèrent.

Au centre de la pièce trônait le cercueil, dont les dimensions adaptées à la taille de l'enfant bouleversaient quiconque le découvrait pour la première fois.

Mais ce qui émut Laetitia jusqu'au tréfonds de son âme, c'est que le couvercle était encore ouvert, laissant apparaître le petit corps figé dans son ultime posture. Vêtu d'un costume sombre, Maxime reposait là, les mains sagement croisées sur l'abdomen, les yeux fermés, les traits détendus. On aurait dit qu'il dormait. En le découvrant ainsi exposé, Laetitia sentit la tête lui tourner. Elle prit appui sur l'épaule de David qui, inquiet, l'interrogea du regard.

— Ça va, ça va, chuchota-t-elle après un long soupir.

— Ce n'est pas le moment de craquer, l'enjoignit-il dans un murmure.

Elle acquiesça d'un signe de tête et tenta un maigre sourire avant de reporter son attention sur Maxime.

Elle ne l'avait plus revu depuis l'après-midi du drame et le fait de n'avoir pu pleurer sur sa dépouille avait rendu sa disparition presque abstraite. À présent, le voir là, devant elle, à quelques centimètres à peine, pâle, raide et sans vie, lui déchira le cœur. Soudain, ses paupières se gonflèrent de larmes sans qu'elle puisse en maîtriser le flux, tandis que son corps était secoué d'irrépréssibles sanglots.

À côté d'elle, David pleurait en silence.

Laetitia se concentrait sur le cercueil, tentant désespérément de calmer sa souffrance. Par-delà ses larmes, elle percevait la présence de Tiphaine et Sylvain, à proximité de la bière, sans oser les dévisager. Cependant, leurs silhouettes lui brûlaient la rétine, l'attirant vers elles, tel l'impitoyable chant des sirènes. La jeune femme ne put résister très longtemps : elle tourna légèrement la tête et croisa le regard de Tiphaine. Celle-ci la fixait avec une telle détresse que Laetitia dut se faire violence pour ne pas vaciller. Elle se força à ne pas détourner les yeux, pourtant terrifiée à l'idée que son amie puisse céder à l'hystérie.

Il n'en fut rien.

Au bout de quelques instants interminables, Tiphaine baissa les yeux, délivrant ainsi Laetitia de mille tourments. Alors seulement, la jeune femme put épancher sa peine sans retenue.

La cérémonie débuta. Le frère de Sylvain lut un texte dans lequel il évoquait la trop brève vie de l'enfant, l'injustice de son départ prématuré, la douleur infligée par son absence. Son timbre se para de sanglots contenus que le pauvre homme tentait de maîtriser en vain. Ensuite ce fut au tour de la grand-mère paternelle de dire quelques mots, qu'elle adressa à la dépouille et dans lesquels elle racontait la relation qu'elle avait entretenue avec lui, le petit garçon qu'il avait été à ses yeux et à son cœur : son tempérament, ses goûts, ses rêves...

— Toi qui voulais devenir pilote d'avion, confia-t-elle, j'ai envie de croire qu'en réalité tu n'es pas tombé, non ! Tu t'es envolé et je sais qu'en ce moment tu planes quelque part dans le ciel. Tu as réalisé ton rêve.

« Pilote d'avion ? » s'interrogea Laetitia. « Maxime n'a jamais voulu devenir pilote d'avion ! » Elle réalisa avec amertume que cette vieille femme qui évoquait Maxime avec tant d'assurance ne connaissait en vérité que peu de choses de lui.

— Il veut pas devenir pilote d'avion, il veut être joueur de foot ! déclara Milo à voix haute.

La grand-mère se troubla, quelques rires crispés s'échappèrent de l'assistance, Laetitia imposa le silence à son fils tout en se disant que la vérité sortait bien de la bouche des enfants. Elle nota toutefois que Milo s'était exprimé au présent, comme si, dans son esprit, Maxime était toujours vivant.

Les témoignages se succédèrent : la mère de Tiphaine, sa sœur, son institutrice, l'une de ses cousines qui interpréta un petit air de guitare. Ensuite, à la demande des parents, s'éleva des haut-parleurs la musique du générique de *Bob l'éponge*, qui était le dessin animé préféré de l'enfant. *L'instant fut insolite*, compte tenu du rythme enjoué et du thème désopilant du morceau. Beaucoup de gens pleuraient, pourtant. L'émotion atteignit son paroxysme lorsque Sylvain prit la parole. Il commença par dire qu'il parlait également au nom de Tiphaine qui, on le comprenait, n'était pas en état de s'exprimer en public. Après un long silence durant lequel on se demanda s'il en était lui-même capable, il s'éclaircit la voix et se mit à parler. Comme sa propre mère l'avait fait avant lui, il s'adressa directement à son fils, pour lui dire tout son amour, à quel point sa naissance avait bouleversé son existence, révélant en lui des aptitudes paternelles dont il ne se serait jamais cru capable auparavant. Puis il évoqua la relation prodigieuse, fabuleuse, rare, magique, intense, irremplaçable qu'ils avaient entretenue tous les trois, se découvrant, se révélant, se nourrissant les uns et les autres d'émotions exceptionnelles. Dans l'assistance, si chacun retenait son souffle, les larmes en revanche coulaient en abondance. Enfin, Sylvain craqua à son tour : il s'approcha du cercueil, caressa avec une infinie tendresse la tête de son fils et pleura de longues secondes en lui murmurant des mots d'adieu.

À aucun moment ne furent évoquées les circonstances dans lesquelles l'enfant avait trouvé la mort.

La cérémonie touchait à sa fin. On signifia à l'assemblée, que le moment était venu pour ceux qui le désiraient, de saluer une dernière fois le petit garçon. Les gens se levèrent et commencèrent à se diriger vers le centre de la pièce. David, Laetitia et Milo suivirent le mouvement et prirent place dans la file. Lorsque ce fut leur tour, Laetitia saisit Milo dans ses bras afin de lui permettre de voir son ami dont le cercueil avait été surélevé. Elle espérait ainsi que, confronté au corps sans vie de Maxime, Milo prenne enfin conscience de sa disparition définitive.

Ils s'approchèrent tous les trois. Dans un écrin de soie blanche, Maxime reposait en paix. Tout autour de lui, ses parents avaient disposé ses jouets préférés, un camion, une voiture, une figurine de Bob l'éponge, deux peluches...

— Tilapou ! hurla Milo, brisant ainsi le recueillement qui régnait dans la pièce.

Laetitia tressaillit. Sans réfléchir, elle colla sa main sur la bouche de son fils en lui intimant le silence d'un « chut ! » autoritaire. Puis, prenant enfin conscience de la raison qui avait fait réagir l'enfant, elle considéra les objets qui entouraient Maxime.

Tilapou figurait en effet parmi ceux-ci.

Surprise, elle ôta sa main. Sitôt libéré, Milo exprima sans ambages sa révolte :

— C'est Tilapou ! Il est à moi !

Et, joignant le geste à la parole, il se pencha pour s'en saisir.

Le tenant toujours fermement dans ses bras, Laetitia eut juste le temps de reculer d'un pas pour empêcher l'ultime sacrilège.

— C'est mon doudou ! s'insurgea Milo. Je veux mon doudou !

David tenta de le raisonner, mais celui-ci n'écoutait déjà plus. Il tendait les mains vers le lapin de chiffon, se débattant dans les bras de sa mère sans cesser de répéter le nom de son doudou. De plus en plus affolée, Laetitia s'écartait du cercueil, essayant elle aussi de calmer son fils. Mais plus elle s'éloignait, plus Milo poussait des cris de révolte, la criblant de coups de poing et de pied dans l'espoir de se libérer de son emprise.

Tout autour, les gens murmuraient avec consternation.

Laetitia hésita, ne sachant quelle attitude adopter. Dans la confusion, ses yeux croisèrent ceux de Tiphaine qui s'était postée devant le cercueil, comme pour en défendre l'accès. Celle-ci la dévisageait d'un air aussi farouche que menaçant. Alors, Laetitia se dirigea vers la sortie et, le regard fixe, pressa le pas. Milo continuait de pousser ses cris, le corps tendu avec l'énergie du désespoir vers le cercueil, rendant ainsi la progression de sa mère, qui à présent le tenait à bout de bras, de plus en plus difficile. Épuisée, elle relâcha son étreinte quelques courtes secondes. Milo en profita pour s'esquiver, se laissant glisser le long du corps de Laetitia, et fila aussitôt vers le cercueil.

David intercepta le petit garçon. Il le saisit à bras-le-corps, le coinça fermement sur son épaule et, saisissant au passage la main de sa femme, se hâta vers la sortie.

Puis, ils s'enfuirent comme des voleurs.

Chapitre 24

Ce ne fut qu'une fois dans la voiture que Laetitia craqua. David avait attaché Milo sur son rehausseur. À l'arrière, l'enfant continuait à exprimer son désaccord avec vigueur, et ses cris eurent raison du sang-froid de sa mère. Installée à l'avant du véhicule, elle poussa à son tour un hurlement qui tétanisa le petit garçon. Si la méthode n'était pas des plus subtiles, elle fut en tout cas efficace : Milo se tut instantanément. Puis, se tournant vers lui comme une furie, elle rugit sa colère et son humiliation.

— Tu te rends compte de ce que tu as fait ! vociféra-t-elle en roulant des yeux fous. Tu t'es conduit comme un putain de sale gosse à l'enterrement de ton meilleur ami ! Tout le monde nous regardait ! Tu m'as fait honte, Milo, jamais je ne te le pardonnerai !

— Calme-toi, Laetitia ! lui ordonna David, horrifié par les propos de sa femme.

— C'était Tilapou ! se défendit Milo avec d'autant plus de hargne qu'il se sentait soutenu par son père. Il est à moi, c'est MON doudou !

— Et alors ? brailla plus fort Laetitia sans tenir compte de l'injonction de David. On s'en fout de ton doudou ! Maxime est mort, tu m'entends ? Il est parti

134

pour toujours, c'est fini, il ne reviendra plus jamais ! Tu comprends ça ? Tu comprends ?

— Ça suffit ! tenta une nouvelle fois David.

Mais celle-ci ne semblait pas l'entendre.

— Et il ne faut pas croire qu'il plane quelque part dans le ciel en nous regardant d'un regard plein d'amour bienveillant ! Ça, c'est le genre de conneries auxquelles sa grand-mère a envie de croire pour ne pas le suivre dans la tombe. Il n'y a plus de Maxime, ni dans l'air, ni ailleurs !

— C'est même pas vrai ! gémit Milo, apeuré par la conduite de sa mère. Il est pas parti, il était là, il faisait juste dodo dans un drôle de lit !

— Non, il ne faisait pas dodo ! hurla-t-elle, au bord de l'hystérie.

— Laetitia ! cria à son tour David pour la faire taire.

Le garçonnet se cacha le visage dans ses mains, comme pour se protéger des cris de sa mère.

— Regarde-moi, Milo ! rugit encore Laetitia. Regarde-moi quand je te parle !

À contrecœur, l'enfant leva vers elle un regard dur, mâchoires serrées et sourcils froncés.

— Maxime ne faisait pas dodo, articula-t-elle en détachant distinctement chacune de ses syllabes. Le drôle de lit, c'est un cercueil. Et dans quelques minutes, on va l'enterrer au cimetière. On va le mettre dans la terre. Et il y restera pour toujours !

— Tais-toi, bon sang ! tonna David. Tu deviens folle ou quoi ?

— Il faut qu'il comprenne, David ! siffla-t-elle en se tournant enfin vers son mari. Il faut qu'il sache que c'était la dernière fois qu'il voyait Maxime !

— Il le sait !

— Non, il ne le sait pas ! Il parle toujours de lui au présent, comme s'il ne s'était rien passé.

— C'est encore trop difficile à exprimer pour un petit garçon de son âge. Il faut juste lui laisser du temps.

— Lui laisser du temps pour quoi ? Pour s'imaginer des choses qui n'existent pas ? Pour croire à ses propres mensonges, parce que c'est plus facile que d'affronter la réalité ? Il n'arrête pas de focaliser sur Tilapou, comme si ce lapin avait plus d'importance que Maxime !

— Il essaie de se protéger !

— Oui, et c'est exactement ce que je ne veux pas qu'il fasse ! C'est à nous de le protéger, David, pas à lui !

L'argument déstabilisa David qui ne sut que répondre. Il la considéra en silence, puis hocha imperceptiblement la tête.

— OK. Mais ce n'est pas en lui hurlant dessus que tu le protégeras. Tu t'y prends mal, Laetitia. Et puis, ce n'est pas le bon moment. On est tous à cran.

La jeune femme en convint d'un signe de tête et le calme se fit dans l'habitacle de la voiture. Milo, qui durant toute l'altercation avait gardé le silence, observait à présent ses parents d'un œil méfiant. David se tourna vers lui et lui adressa un pauvre sourire. Alors l'enfant éclata en sanglots et se mit à pleurer.

Mortifiée, Laetitia passa à l'arrière et prit son fils dans ses bras.

— Pourquoi tu pleures, maintenant ? lui demanda-t-elle avec douceur, persuadée qu'enfin il prenait conscience de la mort de Maxime.

— Je ne veux pas que Tilapou soit enterré dans le cimetière avec Maxime, répondit-il en gémissant.

David et Laetitia échangèrent un regard inquiet. Puis, David sembla prendre une décision. Il attacha sa ceinture, demanda à Laetitia d'en faire de même après avoir réinstallé Milo dans son siège... Lorsque ce fut fait, il remit le contact et démarra sur les chapeaux de roues.

— Où va-t-on ? s'enquit la jeune femme, intriguée.

— Acheter un nouveau Tilapou ! déclara David.

Chapitre 25

Quelques instants plus tard, il garait la voiture devant le plus grand magasin de jouets de la ville. Milo avait retrouvé le sourire et, accompagné de ses parents, arpentait les allées du magasin en conquérant. Les rayons regorgeaient de jeux en tous genres : des activités d'éveil pour les plus petits, des cubes en bois à empiler, des formes à encastrer, des fermes miniatures entourées de tous leurs animaux, des maisons de poupées, des théâtres de marionnettes, des livres musicaux ou encore des puzzles. Plus loin, des jeux de société, de découverte ou électroniques pour les plus grands côtoyaient une invraisemblable pléiade de figurines des héros de films ou de dessins animés : Transformers, Pokémon, Star Wars, Dragon Balls ou stars du catch américain pour les garçons, Barbie, Charlotte aux Fraises, Hello Kitty ou Dora l'exploratrice pour les filles.

Parvenu au rayon des peluches, David se tourna vers Milo :

— Voilà. Tu peux choisir un nouveau doudou. Prends celui qui te plaît le plus.

Là aussi, il y en avait pour tous les goûts : des gros ventrus, des longs boudinés, des petits trapus, des poilus, des tout doux, des comiques, des colorés, des chevelus... Certains figuraient des animaux de compagnie quand d'autres représentaient des spécimens d'une race improbable.

— Même s'il est très gros ? tenta l'enfant sans encore vraiment croire à sa chance.

— Même s'il est très gros ! À condition qu'il puisse rentrer dans la voiture, ajouta David en ébouriffant les cheveux du petit garçon.

Milo n'en revenait pas. Il balaya d'un regard halluciné les dizaines de peluches exposées et poussa un soupir d'aise. Son premier choix se porta sur un lapin de taille moyenne, vêtu d'une salopette et coiffé d'une casquette, à l'instar de Tilapou. Puis il se ravisa. Il reposa le lapin à sa place et se dirigea sans hésitation vers un gros nounours tout mou qui souriait d'un air complice.

— C'est celui-là que je veux ! déclara-t-il en se tournant vers son père.

— Tu en es sûr ?

L'enfant acquiesça en hochant vigoureusement la tête.

— D'accord ! déclara David. Il prit le nounours qu'il tendit au garçonnet.

Milo s'en empara, les yeux écarquillés d'enchantement. Puis, d'une démarche énergique pour David, triomphante pour Milo, ils se dirigèrent vers les caisses du magasin. Laetitia les suivit, un peu en retrait, partagée entre la consolation de voir son fils irradier de bonheur et l'intuition que cet achat ne réglait en rien les problèmes dont elle pressentait l'importance. Mais la culpabilité qu'elle éprouvait après lui avoir hurlé dessus était trop puissante. Pour l'instant, seuls comptaient pour elle le sourire de Milo et cette lueur qui brillait dans ses yeux.

Lorsqu'ils sortirent du magasin, elle remarqua en riant :

— Un gros nounours qui s'appelle Tilapou... C'est drôle, non ?

— Il s'appelle pas Tilapou ! s'exclama aussitôt Milo.

— Ah bon ? Comment vas-tu l'appeler, alors ?

— Maxime ! répondit joyeusement le petit garçon en serrant son nouveau doudou contre lui.

Chapitre 26

Ils passèrent le reste de la journée à la maison, essayant de se détendre et de retrouver une certaine sérénité. Les émotions de la matinée avaient été trop intenses et David, tout comme Laetitia, aspiraient à un moment exempt d'angoisses et de conflits. Milo joua dans sa chambre avec son nouveau doudou pendant une bonne demi-heure, puis sa mère lui raconta des histoires et dessina avec lui. Ils évitèrent l'un et l'autre de parler de Maxime et de son enterrement. Ensuite, tous trois avalèrent un plat de pâtes préparé sur le pouce, auquel l'enfant fit honneur. Il fut d'ailleurs le seul à avoir de l'appétit. Juste après le déjeuner, tandis que David et Milo regardaient des dessins animés à la télévision, Laetitia s'installa sur la terrasse. Il faisait beau. Le soleil, qu'une brise légère rendait tout à fait supportable, brillait dans un ciel sans nuage.

Alors qu'elle somnolait depuis vingt minutes, la jeune femme fut tirée de sa torpeur par des éclats de voix, des chaises que l'on installe, des verres qui s'entrechoquent. Dans le jardin voisin, les Geniot étaient revenus des obsèques et recevaient à présent la famille et les amis proches pour une petite collation.

Laetitia se sentit soudain mal à l'aise. Comme illégale. Pas à sa place. Clandestine. Elle entendait les conversations, percevait les mouvements à travers la haie, témoin involontaire d'une intimité à laquelle elle n'était pas conviée. « Je suis chez moi ! » murmurat-elle afin de se convaincre qu'elle ne faisait rien de mal. Sa position pourtant lui semblait incongrue et, d'instinct, elle se leva silencieusement avant de rentrer chez elle sur la pointe des pieds.

Comme pour ne pas trahir sa présence.

L'incident l'avait perturbée. Pour la première fois depuis qu'elle vivait dans cette maison, la proximité avec le voisinage la dérangeait, au point de l'empêcher de profiter de son jardin. Le cœur serré, elle réalisa alors que, outre la douleur provoquée par les récents événements et le conflit qui les opposait désormais à leurs – anciens ? – amis, la mitoyenneté n'allait pas simplifier les choses. Pire, elle avait l'impression que sa propre intimité était violée. Si elle-même était en position de voir et d'entendre tout ce qui se passait à côté, l'inverse était également vrai. Et les voix qui lui parvenaient du jardin voisin l'agressaient de leurs murmures, elle avait la sensation d'être exposée au vu et au su de personnes qui ne lui voulaient pas que du bien.

Ce constat lui apporta un stress supplémentaire. Comment allaient-ils faire pour vivre désormais les uns à côté des autres ? Se croiser dans la rue, assister – même involontairement – à leurs allées et venues, se voir évoluer dans leurs jardins respectifs ? Leur passif était trop lourd pour pouvoir faire abstraction de tout ce qu'ils avaient vécu ensemble : une amitié intense et réciproque, tant de joies partagées et, aujourd'hui, cette colère que Tiphaine et peut-être même Sylvain leur vouaient... L'espace d'un instant, Laetitia souhaita de tout son cœur que ses voisins déménagent. Après tout, la chose était tout à fait envisageable : était-il possible qu'ils continuent de vivre dans la maison où leur petit garçon avait trouvé la mort ? Seraient-ils capables de passer tous les jours devant sa chambre, cette pièce dans laquelle s'était joué le plus insupportable drame que des parents puissent vivre ?

— Tu ne te reposes plus ? s'étonna David qui somnolait toujours devant la télé.

— Je vais prendre une douche, répondit Laetitia sans vouloir lui avouer la véritable raison de sa présence à l'intérieur de la maison.

Puis, elle monta à l'étage.

En fin d'après-midi, un événement inattendu se produisit. Milo était dans le bain, David préparait le repas et Laetitia faisait du rangement à l'étage lorsqu'on sonna à la porte d'entrée.

— Tu vas ouvrir ? cria David qui ne pouvait pas quitter ses fourneaux.

Laetitia descendit jusqu'au hall d'entrée et ouvrit la porte.

Elle retint un cri d'exclamation quand elle découvrit Tiphaine et Sylvain. Aussitôt sur la défensive, elle eut un mouvement de recul et tourna la tête comme pour évaluer la distance qui la séparait de la cuisine où se trouvait David.

— C'est bon, Laetitia, on n'est pas venu te reprocher quoi que ce soit, déclara d'emblée Sylvain en esquissant un geste d'apaisement.

De plus en plus surprise, la jeune femme les considéra avec stupéfaction.

— On peut entrer quelques instants ? ajouta-t-il encore d'un ton presque suppliant.

Et comme pour la convaincre que leurs intentions n'étaient pas belliqueuses, Tiphaine sortit de son sac un objet que Laetitia reconnut aussitôt.

— On est venu rendre ça à Milo, murmura-t-elle en lui tendant Tilapou.

Ébahie, la jeune femme s'empara du doudou d'un geste absent. Durant quelques courtes instants, ils demeurèrent face à face sans rien dire, puis Laetitia sembla sortir de sa torpeur et s'effaça pour les laisser entrer.

Lorsque David les vit à son tour dans le salon, sa réaction fut sensiblement identique à celle de sa femme. Il se figea sur place, lâcha sa cuillère en bois remplie de béchamel et ouvrit de grands yeux stupéfaits.

— Qu'est-ce que vous foutez là ? demanda-t-il d'un ton plus agressif qu'il ne l'aurait souhaité.

— Tout va bien, le rassura Laetitia avec douceur. Ils sont venus rendre Tilapou à Milo.

— Et s'excuser, ajouta Sylvain.

Laetitia tourna vers lui un regard encore plus abasourdi que lorsqu'elle avait ouvert la porte, ce à quoi Sylvain répliqua en se tournant vers Tiphaine : de toute évidence, c'était à elle de prendre la parole.

Un silence lourd et pesant plana sur la pièce. Tiphaine semblait perdue dans une douleur abyssale et demeurait là sans réaction...

— Tiphaine ? murmura Sylvain en lui prenant la main.

Celle-ci tressaillit et parut se réveiller d'un mauvais rêve. Puis elle regarda David et Laetitia avec un certain étonnement.

— Ça va, ma chérie ? reprit Sylvain, inquiet.

— Asseyez-vous, proposa David pour alléger un peu l'ambiance.

— Vous voulez boire quelque chose ? ajouta Laetitia avec empressement.

Elle se dirigeait déjà vers la cuisine lorsque Tiphaine l'arrêta au passage. Interdite, Laetitia se tourna vers elle et les deux femmes se firent face. Puis, comme si elle était à bout de force, Tiphaine s'écroula dans ses bras et pleura toutes les larmes de son corps.

— Pardon, murmura-t-elle en sanglotant, éperdue. J'ai été terriblement injuste avec toi. Mais j'ai tellement mal, si tu savais...

— Je sais, répondit simplement Laetitia en refermant les bras autour de son amie.

Chapitre 27

Ils parlèrent longuement et pleurèrent beaucoup. Laetitia eut la sensation de n'avoir jamais autant pleuré de sa vie, pas même lors de la mort de ses propres parents. Depuis cinq jours qu'ils ne s'étaient adressé la parole que pour se dire des horreurs, il était étrange de renouer une relation amicale, du moins bienveillante, même si David et Laetitia restaient sur leurs gardes, encore trop surpris par ce soudain revirement de situation.

Quant à Tiphaine et Sylvain, ils n'étaient plus que l'ombre d'eux-mêmes. Dans leur attitude, d'abord : tous deux se tenaient sur leur siège, avachis, le regard éteint la plupart du temps, et lorsqu'il s'animait, c'était pour trahir une souffrance et une détresse insoutenables. Parfois l'un d'eux commençait une phrase qu'il laissait en suspens, les yeux perdus dans le vague, et lorsque David ou Laetitia réclamait la suite d'un raclement de gorge ou d'un mot d'encouragement, le fil était rompu et l'idée s'était envolée.

Les circonstances de la mort de Maxime furent enfin évoquées. D'une voix sans timbre, Tiphaine raconta qu'au cours de l'après-midi la température de l'enfant avait atteint les 39,5. Elle lui avait donc mis un suppositoire afin de faire descendre la fièvre, puis l'avait couché dans son lit. Le petit garçon s'était aussitôt assoupi, et Tiphaine était restée auprès de lui un bon quart d'heure. Il faisait chaud dans la pièce. Le soleil tapait sur les vitres de sa chambre et, remarquant les gouttes de sueur qui perlaient sur son nez et à son front, elle l'avait un peu découvert. Puis elle avait ouvert la fenêtre afin de lui donner de l'air. Comme la respiration de l'enfant s'était faite régulière et qu'il semblait dormir profondément, elle avait décidé d'aller prendre sa douche.

Voilà, c'était tout. Elle avait juste voulu prendre une douche.

Une fois que son récit terminé, elle se tut et demeura de longues minutes immobile, tête baissée, épaules voûtées. Une seule chose trahissait les ravages que subissait son esprit dévasté : elle se triturait les mains de manière frénétique.

David, Laetitia et Sylvain restaient silencieux.

Ce fut Laetitia qui reprit la parole. À son tour, elle raconta sa version des faits, ce qui s'était passé pendant que Tiphaine était sous la douche. Elle relata avec précision la façon dont les choses s'étaient déroulées, hormis un détail : elle fut incapable de révéler à son amie le fait que Maxime, sans doute toujours sous l'emprise de la fièvre, réclamait sa maman. Détail inutile qui, à ce stade du processus de deuil, n'apporterait que souffrance et désolation. Elle raconta donc qu'elle avait vu le petit garçon se pencher dangereusement à la fenêtre, qu'il lui parlait mais qu'elle ne comprenait rien à ce qu'il lui disait.

La suite de son récit correspondit en tout point à la réalité.

Puis, afin de briser le malentendu qui, depuis le drame, les avait déchirés, elle posa franchement la question :

— Tu crois que j'aurais pu le sauver ?

147

Sylvain répondit :

— Tu as fait ce que tu as pu, Laetitia.

Pensive, elle hocha la tête. Étrangement, ce n'était pas la réponse qu'elle souhaitait.

Soudain, elle se souvint que Milo était toujours dans son bain et que, depuis le temps, l'eau devait être glacée. Elle monta en tout hâte à l'étage, poussa la porte de la salle de bains pour découvrir que le petit garçon ne s'y trouvait plus.

Le sol se déroba sous ses pieds.

— Milo ! hurla-t-elle en proie à une panique immédiate.

Elle sortit en trombe de la pièce et se précipita dans la chambre du petit garçon. L'enfant s'y trouvait, enroulé dans une large serviette en éponge et étendu sur le lit où il s'était endormi, tenant dans ses bras son nouveau doudou. Entretemps, alertés par le cri de la jeune femme, David, Tiphaine et Sylvain s'étaient précipités dans la cage d'escalier et débouchaient dans le corridor, juste derrière elle.

— Ça va, tout va bien, murmura Laetitia. Il s'est endormi.

— Tu es complètement folle de crier comme ça ! la morigéna David. J'ai failli avoir une attaque cardiaque !

— Désolée. J'ai eu peur. Quand je suis entrée dans la salle de bains, il ne s'y trouvait plus et j'ai cru...

Elle n'acheva pas sa phrase et, presque malgré elle, tourna les yeux vers Tiphaine. Celle-ci la regarda avec tant de douleur que Laetitia ressentit de la honte. Celle d'avoir crié, d'avoir eu peur.

D'avoir encore son fils.

Tiphaine détourna le regard et fit un pas vers Laetitia. Puis un autre. D'instinct, celle-ci eut un mouvement de recul, comme pour se protéger. Mais Tiphaine poursuivit sa progression et, dépassant son amie, pénétra dans la chambre de Milo. Elle continua d'avancer jusqu'au lit du petit garçon, à côté duquel elle s'agenouilla. Puis, avec une infinie tendresse et tout autant de précaution, elle effleura sa joue.

Sans vraiment savoir pourquoi, Laetitia sentit ses tripes se nouer et dut se faire violence pour ne pas demander à Tiphaine de quitter la pièce.

« Ne le touche pas ! »

Ces mots, elle les avait sur le bout de la langue, prêts à jaillir de sa bouche, comme si son amie représentait une menace pour son fils. Une idée absurde ! Tiphaine était la marraine de Milo et elle l'aimait. De cela, Laetitia était certaine. Alors pourquoi ce sentiment de danger latent ?

Soudain, le regard de Laetitia fut attiré par le nouveau doudou de Milo.

Maxime !

Un frisson glacé lui parcourut l'échine : l'angoisse que Milo ne se réveille et ne divulgue à Tiphaine le prénom de son nounours lui noua le cœur.

Elle pénétra à son tour dans la pièce et vint se poster juste derrière son amie.

— Laissons-le dormir, proposa-t-elle en dominant dans sa voix l'urgence de quitter la chambre. Les émotions de la journée l'ont épuisé. Il a besoin de se reposer.

Tiphaine hocha la tête et, sans quitter l'enfant des yeux, se redressa.

Puis tout le monde redescendit au rez-de-chaussée.

Chapitre 28

Les jours passèrent.

Bien obligés.

Et la vie reprit son cours, contrainte et forcée.

Depuis la mort de leur petit garçon, Tiphaine et Sylvain se levaient par habitude, se nourrissaient par distraction, restaient en vie par hasard. Le temps s'était désagrégé en une sorte de labyrinthe informe qui ne menait nulle part. Dès lors, à quoi bon avancer ? Leur vie, désormais confinée dans un no man's land contrefait, s'apparentait à présent à une réalité falsifiée qui de toute façon ne valait pas mieux ni moins qu'une autre.

Ça ou rien, quelle différence ?

Sur l'échelle de la souffrance psychologique, il est un palier où la douleur atteint de tels sommets qu'il semble utopique de chercher à la surpasser. Privé de normalité, le couple semblait à peine survivre, comme expatrié d'une existence brisée en une multitude de morceaux si infimes qu'il s'avérait même impossible de les retrouver. Pour quelle raison absurde se seraient-ils mis en tête de vouloir les recoller ?

Cœurs meurtris, âmes en panne...

Pour David et Laetitia, le temps se remit en route, mais au ralenti, sans entrain, sans bonheur. Les gestes additionnés les uns aux autres, se lever, manger, travailler, dormir... Ou plutôt ne pas dormir... Étrangement, depuis que Tiphaine et Sylvain ne l'accusaient plus de rien, Laetitia éprouvait une culpabilité sourde et pernicieuse, qui se résumait en une seule question : aurait-elle réellement pu éviter le pire si elle avait réagi autrement ? Les venimeux reproches de Tiphaine venaient la tourmenter pendant la nuit. Dans une sorte de cauchemar éveillé, elle revivait sans cesse le drame, se forçant à chaque version à réagir différemment. Au début, elle se précipitait vers le fond du jardin pour traverser le trou dans la haie, celui que les garçons avaient eux-mêmes dégagé à mains nues puis, une fois dans le jardin voisin, elle refaisait, ventre à terre, le chemin en sens inverse.

À chaque, fois elle arrivait trop tard : Maxime gisait déjà sur la terrasse.

La fois suivante, elle optait pour la même solution mais en augmentant sa vitesse afin d'arriver sous la fenêtre de l'enfant avant que celui-ci ne tombe. Peine perdue : à son arrivée, le petit corps était étendu sur les pierres glacées.

Une autre nuit, elle tentait un nouveau sauvetage : s'emparer d'une chaise, la poser devant la haie pour pouvoir l'enjamber, gagnant ainsi de précieuses secondes. Victoire ! Elle arrivait à se poster sous la fenêtre avant que Maxime ne bascule. Mais lorsque celui-ci plongeait dans le vide, elle ne parvenait jamais à le rattraper. Il s'écrasait violemment à côté d'elle, et le bruit de sa chute la torturait jusqu'à l'aurore.

Au bout d'une semaine, elle abandonna ces tentatives aussi absurdes que vaines. Alors ses nuits pâlirent et devinrent d'une blancheur diaphane, elle demeurait là, étendue dans l'obscurité, les yeux grands ouverts, sans dire un mot, pour sombrer dans un sommeil sans rêve, quelques heures à peine, avant de devoir se lever, se forcer à déjeuner, partir au travail.

Est-ce ce sentiment de culpabilité qui poussa Laetitia à passer chez ses voisins chaque jour en rentrant du boulot, juste avant d'aller chercher Milo à l'école ? Il était évident que, depuis le drame et la réaction calomnieuse de Tiphaine à son encontre, leur amitié avait été mise à mal. Bien sûr, Laetitia avait mis aussitôt les accusations de son amie sur le compte de l'égarement... Il n'empêche ! De cet épisode inique, la jeune femme gardait une vigilance suspicieuse qui, elle le pressentait, avait détruit quelque chose entre eux. Le rejet total de Tiphaine juste après l'accident avait profané sa douleur, détournant la légitimité de son chagrin vers un tourment plus lamentable.

En l'accusant du pire, Tiphaine lui avait volé la dignité de son deuil.

Bien que la gravité des événements pût peser dans la balance comme des circonstances atténuantes, Laetitia gardait en elle une rancœur confuse.

C'est peut-être pour cette raison que ses visites quotidiennes ne duraient jamais très longtemps : une demi-heure à peine afin de prendre de leurs nouvelles, s'enquérir de leur état, savoir s'ils n'avaient besoin de rien. Rythmer leur journée d'une visite amicale. Évoquer Maxime aussi, Laetitia s'y contraignait. Elle avait lu sur le Net que le deuil d'un enfant, processus déjà long et pénible en soi, ne pouvait se faire si l'on s'évertuait à ensevelir le souvenir du petit défunt dans le silence du chagrin. Tenter de panser les blessures de l'âme en niant l'origine de la douleur pouvait s'avérer néfaste. Elle comprit rapidement que la seule chose qui empêchait ses amis de sombrer dans le néant d'une existence désormais dépourvue d'objectif était le souvenir de leur fils. Les en priver aurait été criminel.

De leur côté, Tiphaine et Sylvain l'accueillaient sans joie ni rejet, certains jours comme une obligation salutaire, d'autres comme un mal nécessaire. Il n'était pas question pour eux de se battre, encore moins de tourner la page : seule la douleur leur donnait la force d'avancer, titubant à l'aveuglette vers un avenir inexistant. Ils se devaient d'avoir mal, d'éprouver le calvaire de l'absence, d'endurer ce supplice comme la preuve irréfutable de l'amour qu'ils portaient à leur enfant. Souffrir était à présent devenu leur unique raison de vivre.

Laetitia, elle, y allait à l'instinct. Souvent, elle leur rapportait le témoignage des voisins et des commerçants qu'elle croisait dans le quartier, des enseignants ou des parents des autres enfants qui prenaient de leurs nouvelles à l'école et désiraient leur manifester, par son intermédiaire, toute leur compassion. Il lui semblait important de faire comprendre à Tiphaine et Sylvain qu'on pensait à eux. Et plus que tout, que personne n'oubliait Maxime.

Chaque fois qu'elle pénétrait chez eux, le silence oppressant qui régnait dans la maison la frappait de plein fouet, encore amplifié par la manie du couple de ne plus s'exprimer qu'en murmurant, comme s'ils avaient peur de réveiller quelqu'un. Parler bas, marcher sur la pointe des pieds, se mouvoir avec une précaution tourmentée. Au début Laetitia calquait son attitude sur celle de ses amis, peut-être en signe de respect, ou tout simplement pour ne pas déranger l'ordre des choses.

Bien vite, elle se sentit inutile.

Ses visites quotidiennes se muèrent pourtant en un rituel auquel la jeune femme s'efforçait de ne pas déroger, bien qu'au fil des jours l'envie d'échapper à la prostration lugubre de ses voisins se fît de plus en plus présente. Chaque fois qu'elle les quittait, le cœur gros et le moral à zéro, il lui fallait une énergie folle pour aborder la soirée qui s'annonçait et ne pas faire subir à Milo la morosité ambiante. Laetitia avait toujours eu une haute idée de l'amitié dont, selon elle, on ne mesurait la véritable valeur que dans l'adversité. Elle s'était fixée la mission de les aider à remonter la pente, qu'importe le temps que ça lui prendrait. Au fil des jours, elle en venait pourtant à se demander si ce n'était pas l'inverse qui se produisait, si ce n'était pas eux qui la tiraient irrémédiablement vers le bas.

David leur rendait visite de temps à autre, toutefois moins souvent que sa femme, compte tenu de ses horaires de travail. C'était plus souvent le week-end qu'en semaine, jours durant lesquels il rentrait tard et fatigué.

Bientôt, Laetitia réalisa qu'ils ne se rendaient plus jamais ensemble chez leurs amis. Lorsque David y allait, elle s'autorisait un répit, se promettant d'y retourner dès le lendemain. Elle croyait au début qu'il s'agissait d'une sorte de partage de corvée, déjà honteuse d'une telle pensée qu'il lui fallait pourtant admettre : elle n'avait plus aucun plaisir à les voir.

Plaisir ? Laetitia frissonna : elle venait d'évoquer la notion de plaisir...

En effet, la vie reprenait son cours chez les Brunelle. Et avec elle, les envies, les moments de détente, les conversations, les sourires et parfois même les éclats de rire, que l'on étouffait bien vite, confus et penauds.

Et puis surtout, il y avait Milo.

L'enfant réclamait à cor et à cri l'insouciance à laquelle il avait droit, la désinvolture du quotidien et la légèreté d'une existence dont il comptait bien profiter. Comme pour combattre la contrition qui polluait son environnement, il débordait d'une énergie presque excessive, le plus souvent lorsqu'il rentrait à la maison après une journée d'école et plus particulièrement, Laetitia l'avait très vite remarqué très vite, quand il allait jouer dans le jardin. Sautant, criant à tue-tête, riant à gorge déployée, le message était claire-ment destiné à Tiphaine et Sylvain. Il leur disait : je suis là.

154

Je suis vivant.

— Milo ! le réprimanda Laetitia la première fois qu'elle prit conscience de son manège. Rentre à la maison !

— Pourquoi ? Il fait beau !

— Rentre, je te dis !

La mine boudeuse, le petit garçon s'en revint tête baissée, passa devant sa mère sans lui adresser le moindre regard et monta dans sa chambre.

— Où vas-tu ? lui demanda Laetitia d'une voix plus douce.

— Jouer avec Maxime.

Maxime. Le nouveau doudou de Milo. Une obsession en peluche qui avait pris une place démesurée dans l'univers du petit garçon. Le nounours offrait l'opportunité pour lui de prononcer cinquante fois par jour ce prénom aujourd'hui auréolé d'un halo d'interdit.

Je vais jouer avec Maxime.

Où est Maxime ?

Je veux faire dodo avec Maxime.

Est-ce que je peux aller à l'école avec Maxime ?

Maxime n'a pas été sage, aujourd'hui. Maxime. Maxime.

Maxime.

Un jour, à bout de nerfs, Laetitia prit le taureau par les cornes :

— Il faut qu'on parle, tous les deux, lui dit-elle en le plaçant face à elle.

Milo la considéra avec gravité. Laetitia alla droit au but :

— Tu ne peux pas appeler ton doudou « Maxime ».

— Pourquoi ?

— Parce que Maxime n'est pas un doudou. Maxime était un petit garçon comme toi, et il était ton meilleur ami. Maxime était le fils de Tiphaine et

Sylvain. Et puis surtout, Maxime est mort, et chaque fois que tu prononces son nom, tu nous rappelles qu'il n'est plus là et qu'il nous manque.

Milo ouvrit de grands yeux ahuris.

— Tu veux oublier Maxime ?

— Non, mais je veux pouvoir penser à lui quand j'en ai envie, et non pas quand toi, tu le décides, ou juste parce que tu es en train de jouer avec ton doudou. Tu comprends ce que j'essaie de te dire ?

L'enfant réfléchit quelques instants. Puis il acquiesça d'un signe de la tête, sérieux comme un pape. Laetitia l'observa, inquiète de sa réaction, honteuse aussi d'envahir son univers de la sorte.

— Je ne te demande pas ça pour t'ennuyer, ni pour te gronder, mon chéri. Mais si un jour Tiphaine et Sylvain devaient entendre que ton nouveau doudou s'appelle Maxime, ils auraient beaucoup de chagrin.

— D'accord, répondit simplement l'enfant.

— Comment vas-tu l'appeler, maintenant ? Tu veux que je t'aide à trouver un nouveau nom ?

Cette fois, Milo secoua la tête. Laetitia le serra dans ses bras, puis le laissa filer.

Le lendemain matin, alors qu'elle préparait le café, par la fenêtre de la cuisine, elle découvrit le nounours gisant par terre sur la terrasse, juste sous la fenêtre de la chambre de Milo.

Chapitre 29

Pour Tiphaine et Sylvain aussi, les jours passaient avec cette obligation absurde de continuer à vivre, se lever, se nourrir, se vêtir... Poursuivre un simulacre d'existence sur fond de normalité, faire semblant, faire comme si. Comme si, après avoir perdu son enfant, il était envisageable de poursuivre sa route, avoir la curiosité de découvrir ce qui se cache après le prochain virage, tenter d'avancer dans la mesure de l'impossible. Se fondre dans la masse et tenir son rôle.

Typhaine et Sylvain étaient à présent devenus les parents du petit garçon qui avait trouvé la mort en tombant de la fenêtre de sa chambre. Quiconque les croisait dans la rue ou chez les commerçants les associait sur-le-champ à la pire épreuve à laquelle des parents puissent être confrontés. Ils incarnaient le malheur, marqués au sceau de la tragédie. Leur nom même était devenu synonyme de drame, comme ces faits divers que les gens racontent le soir autour de la table, enchaînant les anecdotes terribles qui n'arrivent qu'aux autres, que l'on évoque en frissonnant avant de conclure : « Quelle horreur, les pauvres, leur vie est fichue ! » Alors tout le monde hoche la tête en réalisant que, malgré la varicelle du petit dernier et le récent courrier des impôts, on n'a pas à se plaindre, n'est-ce pas, il y a tellement pire que notre sort. Et en parlant de ça, justement, quelqu'un a une autre histoire à raconter, encore plus terrible : vite, vite, on chasse le malheur des uns pour écouter ce qui – paraît-il – aurait pu nous arriver, mais qui – fort heureusement – n'arrive qu'aux autres.

Après la chute infernale aux confins de l'enfer, après l'insupportable douleur, après les larmes et l'immobile torpeur du néant, il fallut bien songer à remonter la pente. Tiphaine et Sylvain durent s'y résoudre, chacun abîmé dans sa propre douleur, recroquevillés sur eux-mêmes comme pour protéger cette souffrance dont la perception était désormais devenue leur principal moteur. Tenter de reprendre pied dans une réalité qui ne leur appartenait plus.

— Tu me passes le lait...

— Tiens... Tu veux encore un peu de café ?

— Non, merci.

À table, les phrases anodines se mirent à rythmer le silence bien établi, celui d'un accord tacite pour taire l'indicible. On ne parlait plus vraiment, à peine échangeait-on quelques mots. Et puis, pour dire quoi ? Sur quoi, sur qui ?

— On a reçu le rappel de l'assurance scolaire de Maxime... Tu leur avais envoyé le certificat de décès ?

— ...

— Tiphaine ! Tu as envoyé le certificat de décès de Maxime à l'assurance scolaire ? Ils nous réclament la cotisation trimestrielle, là...

— Non, je ne l'ai pas fait.

— Tu m'avais dit que tu le ferais !

— Je ne l'ai pas fait.

— Et tu comptes le faire quand ?

— Si ça ne va pas assez vite à ton goût, tu peux le faire toi-même !

Trop blessé pour assumer la douleur de l'autre, on se laisse dériver au fil des arguments bateaux, ceux qui sont censés mettre fin à la conversation. Pour clouer le bec. Ou seulement pour avoir la paix.

Parfois il arrivait que la riposte soit plus virulente que l'attaque.

— Ce n'est pas à moi de le faire, asséna sèchement Sylvain.

— Ah non ? Et pourquoi ce serait plus à moi qu'à toi ?

Sylvain marqua un temps d'arrêt, conscient d'être sur le point de franchir une limite qu'il tentait, depuis un certain temps déjà, de ne pas dépasser. Mais la missive du matin lui avait déchiqueté le cœur, cette lettre qui concernait Maxime, une cotisation dont on s'acquitte pour se mettre à l'abri des imprévus, pour se protéger du pire...

Un dû qu'on lui réclamait, lui qui avait tout perdu.

Il eut mal, Sylvain, tellement mal qu'il riposta dans le but évident de blesser à son tour.

— Parce que ce n'est pas moi qui ai laissé Maxime tout seul dans sa chambre avec la fenêtre ouverte !

Tiphaine se raidit en plein mouvement, alors qu'elle portait sa tasse de café à ses lèvres. Dans son esprit, les mots s'entrechoquèrent, elle n'avait pas dû bien entendre, pas bien comprendre, et pourtant... En levant ses yeux effarés sur Sylvain, l'expression de rage qui figeait ses traits lui confirma que son mari avait bien dit ce qu'elle venait d'entendre.

— Pardon ?

— Ne fais pas celle qui n'a pas compris, Tiphaine.

— Tu n'as pas le droit...

— Oh, si, j'ai le droit ! Il va bien falloir qu'on en parle un jour, non ? Rien que nous deux, en tête-à-tête, les yeux dans les yeux.

— Parler de quoi ?

La voix de Tiphaine n'était plus qu'un murmure, à peine un souffle. Ce qui n'émut en rien Sylvain : il avait depuis longtemps dépassé toute capacité de compassion.

— Parler de ta responsabilité dans la mort de Maxime.

Ça y est, il l'avait dit ! Mieux encore : il lui avait dit, à elle ! Ce qu'il pensait depuis le jour de l'accident, ce qu'il en avait conclu, ce qu'il avait retenu tout au fond de lui, ce qu'il ressassait sans répit, et qu'il ne parvenait pas à digérer. Rejeter la faute sur Laetitia, au début, ç'avait été une question de survie, pour l'un comme pour l'autre, une bouée à laquelle ils s'étaient tous deux raccrochés au milieu de la tempête. Juste pour se maintenir la tête hors de l'eau et ne pas périr noyés. Mais à présent que le ressac s'était épuisé, Sylvain ne pouvait plus mentir, ni aux autres ni à Tiphaine. Encore moins à lui-même.

— Il faut qu'on en parle, Tiphaine, ajouta-t-il sans se préoccuper de la pauvre petite chose qui s'étiolait devant lui.

Pour toute réponse, elle rentra la tête dans les épaules comme si elle se rétractait ; on aurait dit un escargot dont on effleure les antennes du bout du doigt.

— Parce que tu en as une, de responsabilité dans la mort de mon fils, n'est-ce pas ? poursuivit-il, impitoyable.

Plus que l'accusation en elle-même, l'emploi du possessif dont il usa pour s'accaparer la filiation exclusive de Maxime mutila un peu plus le cœur de Tiphaine, si cela était encore possible.

— Ton fils ? cracha-t-elle, comme on expectore le germe de la maladie...

Sylvain serra les dents, portant sur sa femme le douloureux regard de la rancœur.

— Notre fils, concéda-t-il au bout d'un moment.

160

Tiphaine qui se mordillait les lèvres, tenta dans un effort surhumain, de ne pas exhiber son agonie, ne sachant plus très bien si l'homme face à elle était un allié ou un ennemi. S'il lui voulait du bien ou si, au contraire, il cherchait à la détruire. Elle fut un instant tentée de lui poser la question...

— On ne peut pas continuer comme ça, Tiphaine... Et puis surtout, j'ai besoin de savoir...

— Savoir quoi ?

— Si tu te sens responsable de la mort de notre enfant. Si tu as conscience que, si Maxime n'est plus là aujourd'hui, c'est un peu à cause de toi.

Un ennemi. Un adversaire à combattre. Un opposant à abattre.

— Je n'ai rien fait de mal ! s'exclama-t-elle en amorçant une défense qui, elle le réalisa vite, était de piètre qualité.

— Tu as laissé la fenêtre ouverte, Tiphaine ! asséna-t-il froidement.

Ce fut le coup de grâce. L'entaille mortelle qui la vida de son sang, la laissant pantelante, presque moribonde. Elle hoqueta, prête à se laisser happer par l'étau glacé de la faute, plaider coupable et monter sur l'échafaud. Déposer les armes, attendre le verdict. En finir, une bonne fois pour toutes.

Un reste d'instinct de survie la maintint sur le pied de guerre, presque malgré elle.

— Je t'interdis ! s'insurgea-t-elle en posant sur Sylvain un regard farouche. Je t'interdis de m'accuser de quoi que ce soit. Surtout pas toi !

— Surtout pas moi ? s'étonna-t-il. Et pourquoi ça ?

Elle émit un ricanement guttural avant de répliquer :

— C'est l'hôpital qui se fout de la charité ! Sincèrement, Sylvain, tu crois vraiment que tu es en mesure de me donner des leçons de morale ?

— Je ne te donne aucune leçon de morale ! Je veux juste mettre les choses au point.

— D'accord. Allons-y !

Ses yeux s'étaient soudain mis à briller d'un éclat féroce. Elle avait repris consistance et dardait à présent sur son mari un regard plein de défi.

— À quoi tu joues, Tiphaine ? s'enquit-il, décontenancé.

— Tu veux jouer ? D'accord, jouons ! Tu connais cette théorie selon laquelle tu peux envoyer à n'importe qui un message anonyme du genre : « Je sais qui tu es, je sais ce que tu as fait. » Absolument n'importe qui ! Quelle que soit la personne qui recevra ce message, elle aura toujours quelque chose à se reprocher.

Les sourcils froncés, Sylvain dévisagea Tiphaine avec défiance et stupéfaction. Satisfaite de son petit effet, la jeune femme attendit quelques instants avant de déclarer avec une lenteur toute théâtrale :

— Je sais qui tu es, Sylvain. Je sais ce que tu as fait.

— Tu sais quoi ?

— Ce que tu as fait.

Elle riait ! Elle se moquait de lui ! De quoi parlait-elle ? Cette question, Sylvain la ressassait en boucle dans sa tête, sans pourtant se la poser réellement. Il ne cessait de scruter Tiphaine, cherchant en vérité le moyen de la confondre. Était-ce un piège ou savait-elle quelque chose ? Mettait-elle sa théorie en pratique afin de prêcher le faux pour savoir le vrai ? Retournait-elle la situation à son avantage dans le seul but d'esquiver sa propre culpabilité ?

Il prit le parti de ne pas tomber dans le panneau et haussa les épaules avec indifférence.

— Cette discussion devient absurde, soupira-t-il en feignant l'agacement.

Alors Tiphaine abattit sa carte maîtresse.

162

— Stéphane Legendre, articula-t-elle, implacable. La fausse ordonnance. Ma condamnation. Ma vie détruite à cause d'une faute que, pourtant, je n'avais pas commise...

Chapitre 30

Ahuri, Sylvain resta sans voix. Dans un brouilla-mini d'hypothèses et de conjectures, il tenta de comprendre comment Tiphaine était au courant. La stupeur l'empêchait de mettre de l'ordre dans ses idées, et l'urgence de trouver une explication le paralysait plus encore.

Elle savait ! Depuis quand ? Et surtout, comment ?

D'un seul coup, son sang ne fit qu'un tour. David ! David lui avait tout raconté, qui d'autre que lui était au courant ?

— L'enflure ! lâcha-t-il avec une violence mal contenue.

— Quand on a des amis comme ça, plus besoin d'ennemis, n'est-ce pas ? murmura Tiphaine dans un souffle.

— Quand t'a-t-il raconté ça ?

— Juste avant de mourir.

Pour la seconde fois en moins de deux minutes, Sylvain sentit son sang se vider de son corps. Il considéra Tiphaine d'un regard incrédule et crut que son cœur allait s'arrêter de battre.

— Da... David ? bégaya-t-il. David est mort ?

Le visage de Tiphaine changea d'expression.

— Qu'est-ce que tu racontes ?

— Tu... Tu viens de me dire que...

— Je ne parlais pas de David !

Durant de longs instants, l'incompréhension fut totale, Tiphaine ne saisissant pas ce que leur voisin venait faire dans cette histoire et Sylvain ne sachant plus de qui elle parlait.

— David est au courant ? rugit-elle soudain en comprenant l'origine du malentendu. Tu as raconté tout ça à David alors que moi-même, je n'en savais rien ?

— Je...

Les traits de Tiphaine se crispèrent en une douloureuse grimace chargée de hargne et d'amertume.

— Salaud ! siffla-t-elle entre ses dents. Tu m'as menti depuis le début, tu m'as trahie et, en plus, tu as raconté tout ça à David ! Vous avez bien dû vous marrer, tous les deux !

— Non ! s'écria Sylvain sans comprendre comment la situation pouvait à ce point lui avoir échappé. Absolument pas ! Je... David...

— Et Laetitia ? Elle aussi est au courant, je suppose ! En résumé, il n'y a que moi qui ne savais rien ! Ce que j'ai pu être conne !

Hébété, Sylvain esquissa un geste de la main en direction de Tiphaine, mais celle-ci le rejeta violemment :

— Ne me touche pas ! Ordure ! Comment tu as pu ? Et toutes ces années...

Elle s'interrompit dans un sanglot avant de se cacher le visage dans les mains. Sylvain se tenait devant elle, les bras ballants, mortifié par la façon dont les choses tournaient. De coupable, Tiphaine était devenue victime et s'arrogeait maintenant le droit de l'accuser du pire. Il n'y comprenait plus rien. Si ce n'était pas David qui lui avait révélé toute l'histoire, qui donc l'avait fait ? Assurément pas Laetitia puisque

Tiphaine elle-même avait supposé qu'elle pouvait être au courant de l'affaire, mais sans en être certaine. Alors qui ? Personne ne savait, hormis...

Soudain il comprit. La seule personne qui avait pu dévoiler à Tiphaine les circonstances de leur rencontre n'était autre que Stéphane Legendre lui-même, le jour où il était venu leur rendre visite. De toute évidence, Tiphaine se trouvait à la maison cet après-midi-là, lorsque l'ex-meilleur ami avait sonné à leur porte. Elle lui avait ouvert et l'avait laissé entrer chez eux.

Peu à peu, les ramifications d'un possible scénario s'élaboraient dans son esprit interdit, telles des volutes aux arabesques sinueuses. Stéphane Legendre qui sonne, Tiphaine qui lui ouvre la porte, s'enquiert de son identité, de ce qu'elle peut faire pour lui ? Il demande si Sylvain est là, elle l'informe que son mari est absent mais qu'il peut revenir dans la soirée si le cœur lui en dit... Stéphane Legendre la remercie, ce ne sera pas nécessaire, c'est elle qu'il vient voir...

Pourquoi aurait-il fait une chose pareille ? Pourquoi, après toutes ces années, aurait-il pris la peine de les rechercher d'abord, puis de faire le déplacement depuis Paris dans le seul but de révéler toute l'histoire à Tiphaine ? Depuis toujours, Stéphane Legendre ne s'était intéressé qu'à lui-même.

Sylvain n'y comprenait plus rien.

— C'est... C'est Stéphane Legendre qui t'a raconté ça ? fut-il seulement capable de demander afin de commencer à mettre de l'ordre dans ses idées.

— Ce n'est pas toi, en tout cas ! répliqua-t-elle avec dépit.

Il ne cessait de la dévisager, tentant en vain de se faire une idée de la façon dont les choses avaient pu se dérouler.

Tiphaine, elle, était à présent devenue imperturbable.

— Qu'est-ce qu'il t'a dit ?

— La vérité.

— Dis-moi ce qu'il t'a raconté, Tiphaine !

— Tout. Il m'a tout raconté : sa faute professionnelle, ton intervention pour lui éviter les emmerdes, la
substitution des ordonnances... La façon dont nous
nous sommes rencontrés...

— Pourquoi ? Pourquoi t'a-t-il raconté ça maintenant, après toutes ces années ?

Elle haussa les épaules comme s'il s'agissait d'un
détail sans importance :

— Il était malade, il allait mourir. Il voulait libérer
sa conscience...

— Tu parles !

Ils restèrent un moment silencieux, tous deux
abîmés dans les ténèbres de leur ressentiment, entre
colère et tourment, et chacun mesurant à quel point,
aux yeux de l'autre, sa propre faute le privait de son
droit de réclamer justice. Sylvain avait la sensation
d'être comme éclaté aux quatre coins de la pièce.
Hagard, il ne savait plus que dire, privé de toute
énergie pour tenter de se rassembler. Tiphaine, quant
à elle, puisait dans sa douleur la légitimité de ses
exigences. Au bout d'un moment, elle murmura d'une
voix cassée :

— J'ai payé le prix fort pour la mort d'un bébé,
alors que je n'avais commis aucune faute !

— De quel bébé tu parles ?

— Celui qu'une femme portait dans son ventre.
Celui que ton ami a tué d'une simple prescription.

— Ça n'a rien à voir avec nous...

— Oh si ! On finit toujours par payer, Sylvain ! La
culpabilité de Stéphane Legendre l'a rongé jusqu'au
cancer, et il en est mort.

Sylvain fronçait les sourcils sans être sûr de bien
comprendre ce qu'elle était en train d'insinuer. Puis
soudain, les notions de fautes et de châtiment résonnèrent en lui comme une accusation sans détour. Il ouvrit
de grands yeux révoltés.

— Si tu essayes de me faire porter le chapeau de la mort de Maxime sous prétexte qu'il fallait que je paie d'une manière ou d'une autre...

— Je n'essaie rien du tout, Sylvain, l'interrompit-elle avec agacement. Ne me prends pas pour une idiote...

— Alors quoi ?

Tiphaine garda le silence un court moment avant de préciser sa pensée.

— Tu as déjà brisé ma vie. Tu ne le feras pas une deuxième fois.

— Ta vie ? Quelle vie ? gloussa Sylvain sans cacher son dépit. On n'a plus de vie, Tiphaine. Tout ce qu'il nous reste, c'est du temps devant nous. Du temps pour souffrir.

— Tu es déjà parvenu à reconstruire mon existence une fois...

— Qu'est-ce que tu veux, au juste ?

— Je veux que tout redevienne comme avant.

Sylvain la dévisagea, ahuri. La simple évocation du passé, le temps du bonheur à jamais révolu lui déchira le cœur. Il eut la sensation qu'une lame glacée le transperçait de part en part, et la douleur dépassa de loin tout ce qui était supportable. Il éclata en sanglots.

— C'est impossible, gémit-il, la voix brisée.

Alors Tiphaine se leva, contourna la table et le rejoignit. Puis, d'un geste presque maternel, elle l'attira contre elle et se mit à le bercer comme un enfant. Sylvain s'agrippa à elle comme s'il allait se noyer.

— C'est possible, mon amour, murmura-t-elle avec douceur. Il suffit juste de tout recommencer depuis le début.

Par-delà ses larmes, il leva vers elle un regard dans lequel la détresse le disputait à l'incompréhension.

— Tout recommencer depuis le début ?

— Je veux un autre enfant.

La surprise le tétanisa, tarissant aussitôt ses pleurs. Ils se regardèrent un long moment et, pour la première fois depuis le drame, ils devinèrent dans les yeux l'un de l'autre l'étincelle d'un amour qui s'était éteint avec Maxime.

— Tu es d'accord ? lui demanda-t-elle, emplie d'espoir.

La gorge nouée, il ne put que hocher la tête.

Cette fois, ce furent les larmes de Tiphaine qui se mirent à couler.

Chapitre 31

Depuis peu, Tiphaine et Sylvain avaient repris leurs occupations professionnelles, au grand soulagement de Laetitia qui avait commencé à s'inquiéter de leur longue apathie. Elle continuait à leur rendre visite, à Tiphaine plus précisément, vu que Sylvain passait beaucoup de temps au cabinet d'architecture afin de rattraper le retard accumulé. Du moins, c'était la raison officielle.

— Il s'abrutit dans le travail, se plaignit Tiphaine alors qu'elles abordaient le sujet autour d'une tasse de café. J'ai l'impression qu'il part de plus en plus tôt le matin et rentre plus tard le soir.

— C'est sa manière de fuir l'absence de Maxime, analysa Laetitia avec douceur.

— Ou peut-être de me fuir, moi.

Laetitia enregistra la remarque. Elle savait que la mort d'un enfant était souvent fatale à un couple, dont chacune des entités incarnait aux yeux de l'autre l'ampleur de leur perte.

— Pourquoi dis-tu cela ? s'enquit-elle, prudente.

Tiphaine haussa les épaules avec désinvolture, comme si le sujet était anodin. Les larmes qui lui montaient aux yeux trahirent tout le contraire.

— Il me tient pour responsable de la mort de Maxime.

Laetitia se mordit la lèvre inférieure. Sans aller jusqu'à lui imputer la mort de Maxime, on ne pouvait nier qu'elle avait fait preuve d'une criminelle imprudence : on ne laisse pas un enfant de 6 ans seul dans une pièce dont la fenêtre est ouverte. Même s'il dort. Le souvenir de Tiphaine lui reprochant d'avoir laissé les garçons sans surveillance dans la chambre de Milo lorsqu'ils s'étaient peinturluré le visage lui revint en mémoire.

Laetitia garda ses réflexions pour elle.

— S'il te considérait réellement comme responsable de la mort de Maxime, il t'aurait déjà quittée, avança-t-elle avec toute l'assurance dont elle se sentait capable. Moi, je crois plutôt que c'est toi qui te sens responsable de... l'accident.

Un éclat de douleur, témoin du calvaire qu'elle endurait depuis plusieurs semaines, traversa la pupille de Tiphaine.

— Bien sûr que je me sens responsable de sa mort ! s'emporta-t-elle d'une voix brisée par un sanglot. Je le suis, non ? J'ai laissé mon petit garçon tout seul dans sa chambre avec la fenêtre ouverte ! Quelle mère digne de ce nom aurait été capable de faire une erreur aussi grossière ?

— C'était un accident ! rétorqua aussitôt Laetitia, bouleversée par l'aveu de son amie. Il dormait, rien ne laissait présager qu'il allait se réveiller juste après ton départ. Tu es une bonne mère, Tiphaine, tu l'as toujours été...

Elle s'interrompit, cherchant d'autres arguments pour l'apaiser un peu.

— J'aurais sans doute fait la même chose que toi, mentit-elle avec un aplomb qu'elle était loin de ressentir.

171

Les deux femmes se turent, conscientes du terrain glissant sur lequel elles étaient en train de patiner. Laetitia tenta de dévier la conversation en douceur.

— Et toi, au boulot, comment ça se passe ?

— On s'en tape, de mon boulot, rétorqua Tiphaine avec mépris. Ça fait juste passer le temps. Et c'est toujours mieux que de rester seule ici.

Prise de court, Laetitia ne sut que répondre. Elle garda donc le silence et, cette fois, ce fut Tiphaine qui le brisa.

— Laetitia... commença-t-elle d'un ton embarrassé. J'aimerais... J'aimerais revoir Milo.

La demande, si soudaine et inattendue, stupéfia Laetitia.

— Je suis toujours sa marraine, ajouta Tiphaine comme pour justifier son souhait.

— Bien sûr, murmura Laetitia sans préciser si elle confirmait son statut de marraine ou si elle répondait favorablement à sa demande.

Une angoisse indéfinissable lui noua les boyaux, comme si la perspective de confier son enfant à Tiphaine la remplissait d'effroi. En perdant son fils, celle-ci avait-elle perdu toute fiabilité ? Juste après son aveu de culpabilité, cette requête avait un arrière-goût de menace cachée, d'autant plus que Laetitia avait elle-même été poussée à lui reconnaître toutes les qualités nécessaires pour s'occuper d'un enfant.

« *Tu es une bonne mère, Tiphaine, tu l'as toujours été...* »

Cependant, elle ne put s'empêcher d'éprouver un rejet aussi violent qu'instinctif à la demande de Tiphaine, ce qui, après réflexion, lui sembla injuste : quelques minutes de négligence pouvaient-elles anéantir six années d'un exemplaire dévouement maternel ? Assurément non. Elle lui avait toujours confié Milo en toute confiance. Alors, pourquoi cette anxiété à peine déguisée ?

Déconcertée par l'alarme intérieure qui retentissait à toute volée dans son inconscient, Laetitia dévisagea son amie. De toute évidence, celle-ci attendait une réaction.

— Revoir Milo ? Oui... Bien sûr, pourquoi pas ?

La réponse manquait d'enthousiasme, elles n'en furent dupes ni l'une ni l'autre.

— Tu n'en as pas très envie, n'est-ce pas ? murmura Tiphaine d'un ton qui ne cachait pas sa détresse.

— Pas du tout ! s'exclama Laetitia en s'efforçant d'être convaincante. C'est juste que...

Ce court démenti sonnait encore plus faux. Consciente qu'elle s'enfonçait, elle chercha une excuse, un argument pour expliquer son point de vue à Tiphaine.

— Milo ne va pas bien, en ce moment. La disparition de Maxime l'a profondément marqué, tu t'en doutes, et... Pour tout te dire, nous avons pris un rendez-vous chez une pédopsychiatre pour la semaine prochaine.

Le doudou de Milo retrouvé sur la terrasse juste sous la fenêtre de sa chambre avait alarmé David et Laetitia. Après en avoir discuté ensemble, ils avaient pris la décision de consulter une spécialiste afin d'aider leur fils à surmonter une épreuve que, de toute évidence, il refusait d'affronter. Laetitia s'était renseignée auprès de son institutrice, qui lui avait donné les coordonnées de Justine Philippot, pédopsychiatre de son état et, selon elle, très compétente.

— Il a besoin de nous voir, insista Tiphaine. As-tu remarqué tout le boucan qu'il fait dès qu'il se trouve dans le jardin ? Il essaie d'attirer notre attention, j'en suis persuadée. C'est sa manière à lui de nous réclamer.

— C'est vrai, reconnut Laetitia.

— Laisse-moi le prendre samedi après-midi, je suis sûre qu'il en a envie autant que moi.

Laetitia hocha pensivement la tête, déchirée entre son angoisse irraisonnée et l'absence d'argument rationnel pour lui opposer un refus. Pour elle aussi, Tiphaine avait revêtu l'habit du malheur, et l'idée de laisser son petit garçon être confronté à cette détresse lui nouait le ventre.

Voyant que son amie hésitait toujours, Tiphaine abattit sa dernière carte.

— Pose-lui la question ! proposa-t-elle. C'est lui qui décidera.

La perche était tendue à l'extrême, à la limite de la supplication, mettant Laetitia dans l'étrange rôle du bourreau.

— D'accord, répondit-elle, non sans éprouver le sentiment d'être coincée.

Chapitre 32

Milo accepta l'invitation de Tiphaine avec un enthousiasme qui surprit sa mère, allant même jusqu'à lui faire revoir son jugement. Et si c'était cela qu'il réclamait à cor et à cri, revoir Tiphaine et Sylvain, du moins ne pas se sentir rejeté par eux comme il avait sans doute cru l'être depuis le jour de l'accident et jusqu'à celui de l'enterrement ? Laetitia réalisa que chaque fois qu'elle avait tenté de parler avec lui de la disparition de Maxime, elle avait toujours focalisé sur le drame sans jamais en aborder la plus terrible des conséquences : le rejet et les monstrueux reproches dont sa marraine avait accablé sa maman. Même si Milo n'avait jamais été témoin de la discorde qui avait opposé ses parents à ceux de Maxime, il avait dû ressentir le malaise sans pouvoir clairement le définir, ce qui sans doute avait été pire que tout. Les enfants sentent ce genre de choses.

Constatant le plaisir que son fils éprouvait à l'idée de revoir sa marraine, David n'y trouva rien à y redire. Il fut même étonné d'apprendre que Laetitia avait bien failli s'y opposer.

— Que veux-tu qu'il lui arrive ? lui fit-il remarquer. Il va chez Tiphaine et Sylvain depuis sa naissance...

— Je sais, admit-elle. J'avais sans doute peur qu'il soit confronté à leur chagrin.

— Et alors ? Tu ne trouves pas normal que des parents qui viennent de perdre leur enfant ressentent du chagrin ? Le soustraire à cette évidence serait complètement absurde. Tiphaine et Sylvain sont comme une seconde famille pour lui. Si tu l'empêches de les voir, il aura tout perdu.

— C'est vrai...

Rassurée par les arguments de David, Laetitia reprit confiance. Ce fut donc avec une certaine sérénité et le sentiment de bien faire qu'elle conduisit son petit garçon chez ses voisins le samedi suivant, vers 14 heures.

Tiphaine accueillit Milo avec une émotion qu'elle ne chercha pas à dissimuler. Dès son arrivée, elle s'agenouilla à sa hauteur et le serra contre elle.

— Je suis contente de te revoir, lui dit-elle. Tu m'as manqué, tu sais.

— Toi aussi, Tatiphaine.

— Ça te dirait d'aller manger une glace au parc ? lui proposa-t-elle.

Milo hocha la tête avec vigueur, mouvement accompagné d'un « Ouais ! » éloquent.

— Ça marche pour la glace ! s'exclama Tiphaine en riant. (Puis se tournant vers Laetitia :) Je te le ramène vers 17 heures, ça te va ?

Celle-ci acquiesça. C'était la première fois qu'elle voyait son amie rire depuis le décès de Maxime et ça lui faisait du bien. Avant qu'elle ne prenne congé, Tiphaine l'attira contre elle et la remercia.

— De quoi ? s'enquit Laetitia.

— De me le confier, répondit-elle en désignant Milo d'un mouvement du menton.

Laetitia haussa les épaules comme pour signifier la bêtise d'une telle reconnaissance, puis elle rentra chez elle.

Durant l'après-midi, elle vaqua à ses occupations, tout ce qu'elle n'avait jamais le temps de faire en semaine et qu'il lui était difficile d'accomplir lorsque Milo était dans ses jambes. Elle rangea la chambre de l'enfant de fond en comble avant de se pencher sur des dossiers en souffrance qu'elle n'avait pas eu le temps de consulter au boulot. David travaillait, comme cela arrivait quelquefois le samedi après-midi, elle était donc seule à la maison. Vers 16 heures, elle s'octroya une pause bien méritée et s'installa sur la terrasse avec une tasse de café et une revue.

Le temps était d'une douceur estivale, il n'y avait presque pas de vent, et le calme qui régnait dans la maison emplit la jeune femme d'un bien-être qui la fit soupirer. Elle s'octroya même une cigarette, ce qu'elle ne faisait que rarement et toujours lorsqu'elle était seule et détendue.

— Tu fumes, maman ?

La voix de Milo l'arracha à sa détente. Laetitia sursauta, surprise par cette voix dont elle ignorait la provenance alors qu'elle se croyait seule.

— Coucou, maman, je suis là ! reprit la voix joyeuse de Milo.

— Où ça ? s'inquiéta-t-elle en regardant alentour.

— Ici, en haut !

Laetitia leva les yeux et découvrit avec horreur Milo penché à la fenêtre de la chambre de... Maxime ! L'enfant tenait à la main un petit tube d'eau savonneuse, duquel s'échappaient des bulles de savon. Elle poussa un hurlement.

— Milo ! Recule-toi immédiatement. Rentre tout de suite dans la maison !

Mais l'enfant continuait de lui faire signe sans se soucier de ses injonctions.

Elle crut devenir folle. Sans réfléchir, elle empoigna la chaise sur laquelle elle était assise et se précipita vers la haie qui séparait les deux jardins, qu'elle entreprit d'enjamber en montant sur le siège. Comme la hauteur du buisson dépassait le mètre soixante-dix, lorsque Laetitia fut à cheval sur le sommet, elle n'eut d'autre choix que de sauter dans le vide pour atterrir de l'autre côté, ce qu'elle fit sans la moindre hésitation. Deux secondes plus tard, elle se releva dans le jardin de ses voisins, les jambes écorchées et probablement couverte de bleus. Pourtant, elle se précipita sous la fenêtre de la chambre de Maxime sans se soucier de la douleur.

— Rentre tout de suite à l'intérieur de la maison ! hurla-t-elle encore à l'adresse de son fils.

— Mais... Je fais des bulles, maman !

— Laetitia... Qu'est-ce qui te prend ? lui demanda Tiphaine en apparaissant à son tour à la fenêtre.

Le souffle court, la jeune femme dévisagea son amie d'un regard halluciné.

— Tu... Tu es complètement folle ? rugit-elle d'une voix qui criait son incompréhension.

— Ne t'inquiète pas, se défendit Tiphaine, il fait juste des bulles à la fenêtre et je suis là, à côté de lui. Il ne risque rien.

Laetitia en resta sans voix. Elle se sentait agressée par l'insupportable désinvolture de son amie, si peu de temps après l'accident de Maxime, au même endroit, dans les mêmes circonstances et presque à la même heure de la journée... Tant de corrélations ne pouvaient être de simples coïncidences, et la frayeur de la jeune femme se mua en colère.

— C'est quoi, ton problème ? Après ce qui s'est passé, je ne comprends même pas comment tu peux laisser Milo s'approcher d'une fenêtre !

Tiphaine s'offusqua, dissimulant mal l'outrage que les accusations à peine voilées de Laetitia provoquaient en elle.

— Je suis juste à côté de lui ! répéta-t-elle sans cacher son humiliation. Je ne l'ai pas quitté de tout l'après-midi, ni dans le parc, ni depuis que nous sommes rentrés. Pour qui me prends-tu ?

Se tenant toujours à côté d'elle, Milo ne perdait pas une miette de l'échange houleux entre les deux femmes. Le visage préoccupé, il passait de l'une à l'autre sans dire un mot. Laetitia en prit conscience et, soucieuse de ne pas effrayer son fils, se radoucit immédiatement.

— Pardonne-moi... J'ai eu peur. J'ai cru que j'allais revivre le même cauchemar que cet après-midi-là.

Tiphaine considéra Laetitia, visiblement sur la défensive, comme si elle hésitait à accepter ses excuses. Du haut de la fenêtre, elle baissait les yeux sur Laetitia qui, elle, était bien forcée de garder la tête levée pour conserver le contact. Sans quitter une expression soucieuse, les traits de Tiphaine se décrispèrent, et elle afficha un triste sourire.

— Je suis désolée, Laetitia. C'est ma faute. J'aurais dû faire attention...

La confusion des deux femmes flotta dans l'air quelques instants, durant lesquels elles gardèrent le silence. Milo semblait soulagé.

— Que... Que faites-vous dans la chambre de Maxime ? s'enquit Laetitia au bout d'un moment.

— J'ai dit à Milo qu'il pouvait prendre quelques jouets s'il en avait envie.

Cette générosité tout à fait exceptionnelle sidéra Laetitia.

— Tu... Tu en es sûre ?

— Nous avons beaucoup réfléchi, Sylvain et moi... Nous ne voulons pas devenir comme ces parents qui conservent la chambre de leur enfant décédé intacte pendant des années et qui en font un mausolée... Sylvain est d'accord avec moi : nous voulons nous battre pour la vie. Nous voulons que les jouets de Maxime profitent à d'autres petits garçons, et le plus tôt sera le mieux. Je suis certaine que c'est ce qu'il aurait souhaité. De toute façon, nous avons déjà retiré toutes les affaires que nous voulions garder. La vie continue, Laetitia, j'ai besoin de me le dire. Milo peut prendre ce qu'il veut, il a la priorité. Nous sommes en train de regarder ce qui lui plairait le plus. Tu veux venir nous rejoindre ?

Laetitia n'en revenait pas. Abasourdie par cette réaction aussi remarquable qu'imprévisible, elle ne put s'empêcher d'admirer la force de Tiphaine si peu de temps après la disparition de son fils.

— J'arrive ! dit-elle en gratifiant son amie d'un sourire admiratif.

Elle les rejoignit dans la chambre de Maxime. En pénétrant dans la pièce, elle réprima un frisson d'appréhension, retrouvant les lieux tels qu'ils étaient lorsque... Laetitia chassa bien vite l'image du petit garçon étendu sur la terrasse avant d'étreindre son fils avec bonheur et, elle ne pouvait le nier, une pointe de soulagement.

Ils passèrent le reste de l'après-midi ensemble. Milo avait porté sa préférence sur la grue télécommandée avec laquelle il avait tant joué avec Maxime. Il choisit en plus un camion, deux puzzles, une boîte de Lego, quelques livres, ainsi qu'un jeu de construction. Puis ils redescendirent au rez-de-chaussée où l'enfant joua avec ses nouvelles acquisitions tandis que Tiphaine et Laetitia s'adonnaient à leur occupation favorite : discuter en buvant une tasse de café.

Milo et Laetitia rentrèrent chez eux vers 18 heures.

Ce soir-là, Tiphaine raconta à Sylvain son après-midi passé en compagnie de Milo, l'épisode de la fenêtre et la frayeur de Laetitia.

— Et qu'est-ce que tu en conclus ? lui demanda Sylvain lorsqu'elle eut achevé son récit.

— Que pour sauver son propre fils, elle était dans notre jardin en moins de cinq secondes, répondit-elle sans parvenir à retenir ses larmes.

Carnet de santé

6-7 ans

C'est l'âge de l'apparition des premières dents définitives. Combien de dents votre enfant a-t-il perdues ?

3 dents : les 2 incisives supérieures, partiellement repoussées et la canine inférieure. M. a un magnifique sourire édenté !

Un petit déjeuner pour faire le plein d'énergie est indispensable avant les activités de la journée. De quoi se compose le petit déjeuner de votre enfant ?

Céréales au chocolat, 1 bol en général, et parfois une tranche de pain avec du miel. M. mange de bon appétit à chaque repas de la journée.

Notes du médecin :

Poids : 20 kg 100. Taille : 119,5 cm.

Chapitre 33

À l'image de ses rondeurs, Justine Philippot était une femme généreuse. Vêtue d'une robe fleurie de motifs printaniers, elle affichait ses années – cinquante-trois au total – avec fierté et naturel : de toute évidence, sa chevelure grisonnante n'avait jamais connu l'artifice de la teinture, tout comme son visage celui du maquillage. Son tempérament correspondait à son apparence extérieure : joviale et chaleureuse, elle ne s'encombrait d'aucun subterfuge et pensait toujours ce qu'elle disait. Ce qui ne signifiait pas pour autant qu'elle disait tout ce qu'elle pensait. Justine Philippot savait par expérience que toute vérité n'est pas bonne à dire et, dans son métier, certaines de ces vérités mettaient plusieurs années à émerger.

Elle accueillit Milo et ses parents dans son cabinet de travail, une vaste pièce baignée de soleil et divisée en trois espaces bien distincts : un imposant bureau occupait le mur du fond tandis que la moitié droite était agrémentée d'un divan et d'un fauteuil qui se faisaient face, séparés par une table basse sur laquelle se trouvait une boîte de mouchoirs, prête à l'emploi. À gauche, un simple tapis délimitait une aire de jeux pour les enfants, où des bacs de jouets avaient été mis à disposition des petits patients.

— Je vous écoute ! attaqua-t-elle d'emblée après avoir prié David et Laetitia de prendre place sur les deux sièges qui se trouvaient devant son bureau.

Laetitia résuma la situation : la disparition tragique de Maxime, les accusations délirantes de sa mère, leur confrontation, leur réconciliation. Elle enchaîna sur la réaction de Milo, son absence apparente de chagrin, l'épisode Tilapou, le scandale à l'enterrement de Maxime, l'acquisition du nouveau doudou, son prénom, sa chute.

Pendant qu'elle parlait, l'enfant, qui s'était naturellement approché des bacs de jouets, se mit aussitôt à jouer sur le tapis.

— Que représentait Maxime aux yeux de Milo ? s'enquit la pédopsychiatre lorsque Laetitia eut achevé son récit.

Ce fut David qui répondit :

— C'était son meilleur ami. Ils avaient le même âge et ils ont pratiquement grandi ensemble. On peut dire qu'ils étaient comme deux frères.

— Existait-il une rivalité entre eux ?

David et Laetitia secouèrent la tête de concert en signe de dénégation.

— Ils se disputaient de temps en temps, bien entendu, mais il ne m'a jamais semblé qu'ils étaient en rivalité, ajouta Laetitia.

— Vous-mêmes, que ressentiez-vous pour Maxime ?

— Nous l'aimions beaucoup, répondit Laetitia sur le ton de l'évidence.

— Comme un fils ?

— Non... Bien sûr que non... Je dirais plutôt comme un neveu.

Justine Philippot continua de poser des questions auxquelles ils répondirent, esquissant ainsi le tableau de ce qu'avait été leur existence avant la mort de Maxime. Ils creusèrent les sentiments qu'avait provoqués en eux la violence des accusations de Tiphaine, de même que l'intense amitié qui les liait autrefois, à l'image de celle qu'avaient partagée les deux enfants.

— Si je comprends bien, Maxime était le frère idéal pour Milo : ils avaient chacun leur maison et leurs parents, de telle sorte qu'aucun n'envahissait l'espace émotionnel de l'autre tout en ayant la disponibilité de jeu rêvée : on joue ensemble tous les jours, mais quand c'est fini, on rentre chacun chez soi avec ses parents. Pas de jalousie, pas de sensation d'être envahi, pas de compétition.

David et Laetitia acquiescèrent.

— Un peu comme un nounours avec lequel on s'amuse autant que l'on veut mais que l'on peut ranger dans un tiroir lorsqu'il devient encombrant, ajouta Justine Philippot.

Le parallèle éclaira d'un jour nouveau le comportement du petit garçon dans l'esprit de Laetitia, et elle ne put s'empêcher de sourire.

— Si on veut, oui.

— Sauf que Maxime n'était pas le nounours de Milo, fit remarquer David.

— Non, mais de toute évidence, le nounours de Milo a pris la place de Maxime.

— Et... C'est une bonne chose ? s'enquit Laetitia.

La pédopsychiatre s'octroya quelques secondes de réflexion avant de répondre.

— Ce n'est pas inquiétant. En tout cas pas à ce stade du processus de deuil. Les amis imaginaires ont pour vocation de combler un vide, et Milo comble celui laissé par Maxime avec ce qu'il a à sa disposition.

— Pourquoi a-t-il jeté son doudou par la fenêtre de sa chambre, alors ?

— Parce que vous lui aviez demandé de renier l'identité de son nounours. C'était sa manière à lui de la lui rendre : lui faire subir le même sort que son ami.

Laetitia frissonna.

— Je n'aurais pas dû exiger qu'il lui donne un autre nom ?

— Pour être franche, non. Vous n'auriez pas dû. Mais c'est fait et ce n'est pas grave. Votre fils a de la ressource, il vous l'a déjà prouvé.

Laetitia hocha pensivement la tête, le visage creusé par la culpabilité.

Se redressant sur son siège, David se pencha vers Justine Philippot et lui demanda à voix basse :

— Pourquoi n'a-t-il jamais pleuré la mort de Maxime ?

De toute évidence, il cherchait à ne pas se faire entendre du petit garçon qui, de son côté, semblait jouer sans se soucier de ce qui se disait à côté de lui.

— Détrompez-vous, monsieur, votre enfant a bel et bien pleuré la mort de son ami, répondit le médecin sans baisser la voix. Même s'il impute d'autres motifs à ses pleurs qu'il traduit d'ailleurs par différents comportements. Mais ce qu'il est important que vous compreniez ici, c'est que Milo a, par ses réactions et son attitude, réclamé le droit à l'insouciance. En continuant à vivre comme s'il ne s'était rien passé, il vous a tout simplement signifié son projet de consacrer son temps et son énergie à sa vie d'enfant. Ce qui ne signifie pas qu'il y a un déni de la mort de son ami.

— Vous pensez qu'il n'y a pas lieu de s'inquiéter pour lui ? demanda Laetitia.

— Je n'ai pas dit ça, rétorqua aussitôt Justine Philippot. J'ai dit que Milo faisait son travail de deuil, contrairement à ce que vous pouviez croire. C'est bien pour cela que vous êtes venus me voir, n'est-ce pas ?

David et Laetitia acquiescèrent d'un mouvement de tête.

— En revanche, ajouta la pédopsychiatre, penser que Milo n'a pas besoin de soutien parce qu'il a instinctivement mis en place un processus de résilience serait une erreur. C'est la raison pour laquelle je vous propose, si vous le souhaitez, bien entendu, une petite thérapie qui vous aiderait tous les trois à traverser cette période un peu sombre de votre existence.

— Vous croyez que c'est nécessaire ? demanda Laetitia plus inquiète qu'opposée à l'idée d'entamer un travail thérapeutique.

— L'étroitesse du lien qui vous unit tous les trois à vos voisins s'apparente à un lien familial. C'est bien ce que vous m'avez dit : Maxime et Milo étaient comme deux frères, vous aimiez Maxime comme un neveu... La disparition de Maxime de la vie de votre enfant est donc loin d'être anodine. Si vous, en tant qu'adultes, et suite à la rupture qui s'est opérée entre vous et vos amis juste après le drame, parvenez à leur redonner leur juste place dans vos priorités, à savoir qu'ils ne sont pas en effet de votre famille, ce n'est peut-être pas le cas de Milo. Dans sa tête, et surtout dans son cœur, il a perdu un frère.

David et Laetitia se consultèrent du regard.

— Je ne vous demande pas une réponse immédiate, poursuivit Justine Philippot. Rentrez chez vous, discutez-en tous les deux et rappelez-moi.

La séance touchait à sa fin. David et Laetitia s'acquittèrent de leur dû et sortirent du cabinet en compagnie de Milo.

Durant quelques minutes, ils marchèrent en silence, tous deux ressassant ce qui avait été dit.

— Elle ne lui a même pas parlé, murmura soudain Laetitia en désignant Milo qui avançait devant eux en direction de la voiture.

— Soixante euros ! grommela David. C'est une thérapie qui va nous coûter cher.

— D'autant que je ne vois pas vraiment à quoi ça a servi pour Milo ! ajouta Laetitia en haussant les épaules.

Ils continuèrent d'avancer, chacun perdu dans ses pensées.

— Je peux appeler mon nounours « Maxime », maintenant ? demanda soudain Milo en tournant vers ses parents un regard triomphant.

Chapitre 34

Cette année-là, l'anniversaire de Milo tombait pile un samedi. David et Laetitia avaient organisé un goûter auquel ils avaient convié une cohorte d'enfants accompagnés de leurs parents. La maison et surtout le jardin étaient envahis. Le printemps semblait s'être installé durablement. Laetitia avait préparé quelques pâtisseries parmi lesquelles une tarte aux fruits, un cake aux amandes et un énorme gâteau au chocolat qui furent dévorés en moins de temps qu'il ne le faut pour l'écrire. David, quant à lui, avait organisé les incontournables : une chaise musicale dont Milo fut (par hasard ?) le vainqueur, un ambassadeur auquel les adultes participèrent et une chasse au trésor qui ravit les plus petits. L'ambiance était à la fête, les cris et les rires fusaient sans faiblir, ça courait dans tous les sens.

Ernest aussi était de la partie. En grandissant, Milo s'attachait de plus en plus à lui, appréciant sa compagnie et les histoires de voyous que le vieil homme se plaisait à lui raconter. Ernest n'avait rien du parrain idéal qui consacre tout son temps libre à son filleul ; la plupart du temps, il était même maladroit, impatient, irritable ou irréfléchi. Et une année sur deux, il lui offrait des cadeaux franchement douteux, comme celui de l'année précédente où il avait acheté deux places pour emmener le gamin voir du catch à Bercy. Laetitia, n'ayant que modérément apprécié, avait interdit à Milo d'assister à ce « spectacle obscène et violent ».

Malgré l'écart évident entre deux univers qui semblaient n'avoir aucun point commun, Ernest ne manquait jamais un goûter d'anniversaire. Il ne restait pas bien longtemps, faisant une entrée remarquée au milieu d'électrons libres en culottes courtes qui cavalaient dans tous les sens et s'éclipsant discrètement dès que Milo avait soufflé ses bougies.

Cette année-là ne fit pas exception à la règle. Tiphaine et Sylvain avaient bien entendu été invités. Sans obligation de venir, Laetitia l'avait tout de suite précisé, craignant que le souvenir des années précédentes ne soit trop douloureux. Ils avaient néanmoins promis de faire un saut ; pour rien au monde Tiphaine ne voulait manquer les 7 ans de son filleul. L'âge de raison. Une étape. C'était du moins ce qu'elle avait affirmé. Laetitia avait donc patienté avant d'apporter le gâteau orné des sept bougies, mais lorsqu'elle réalisa qu'il était déjà plus de 16 heures et que leurs voisins brillaient toujours par leur absence, elle décida d'aller sonner chez eux.

Personne ne vint lui ouvrir, ce qui ne surprit la jeune femme qu'à moitié. Elle eut confirmation de ses soupçons lorsque, après vérification, elle constata que leur voiture était garée à deux pas de la maison. Ils étaient là, elle en était certaine. Pour une raison qu'elle devinait sans peine, ils n'avaient pas trouvé la force de se joindre à la liesse générale.

Ce jour-là, plus qu'un autre, le grand absent était Maxime.

Et puis surtout, Milo avait 7 ans.

Un âge que Maxime n'atteindrait jamais.

L'espace d'un instant, Laetitia songea avec appréhension à la date anniversaire du petit garçon décédé, dans un peu moins de trois mois.

Perplexe, elle décida de ne pas insister et de retourner auprès de ses invités. Ce qu'elle fit sans plus traîner. Ernest avait montré des signes d'impatience, désireux à présent de quitter cet endroit trop tumultueux à son goût. Il était temps de servir le gâteau.

Chez les Geniot, les festivités voisines retentissaient jusque dans la cuisine, malgré la porte de la terrasse et les fenêtres fermées. Cris d'enfants, éclats de rires et galopades résonnaient dans un joyeux brouhaha à peine diffus, le disputant au silence pesant qui régnait dans la maison. Debout devant le plan de travail, Tiphaine s'abîmait dans son activité, culinaire de toute évidence, mélangeant et mixant divers ingrédients en vue d'obtenir une pâte homogène. Lorsque la sonnette de la porte d'entrée retentit, elle se figea sur place et suspendit son souffle.

C'était Laetitia, pas de doute. Laetitia qui s'enquérait de leur présence, sans doute pour servir le gâteau.

L'espace d'un court instant, elle hésita, fut sur le point d'aller ouvrir la porte pour lui expliquer, s'excuser, se désister. Cette ambiance, ces rires, ces sourires, ces couleurs, toute cette allégresse... c'était trop. Au-dessus de ses forces. À moins qu'elle ne passe chaque seconde à combattre le chagrin qui menaçait, à lutter, à déployer un effort surhumain pour esquisser le moindre sourire et, à chaque instant, qu'elle ne risque d'éclater en sanglots au milieu de la liesse générale, mieux valait se terrer à l'abri des regards et des questions. À l'abri de la honte.

Loin du bonheur.

Tiphaine restait figée sur place, glacée, déchirée, craignant un second coup de sonnette.

Qui ne vint pas.

Au bout d'une ou deux minutes, elle perçut un mouvement juste derrière la porte d'entrée et comprit que Laetitia s'en retournait chez elle honorer la septième année de son petit garçon. Lentement, elle se remit en mouvement, s'agrippant à sa cuillère en bois comme si elle allait s'effondrer.

Chez les Brunelle, on chantait en chœur. Milo souffla ses bougies et tout le monde applaudit. La fête était des plus réussies.

Comme à son habitude, quelques minutes après le partage et la distribution des pâtisseries, Ernest vint discrètement informer Laetitia qu'il s'en allait.

— Déjà ! le taquina la jeune femme. On vient à peine de servir le gâteau !

— Tu donneras ma part à Milo, sourit le vieil homme.

— Pas question ! Ce serait la crise de foie assurée.

Puis, essuyant ses mains à un torchon de cuisine, elle prit le temps d'échanger quelques mots avec lui.

— Vous allez bien, Ernest ?

— Je n'ai pas à me plaindre.

— Votre jambe ?

— Oh ! Depuis le temps, nous avons conclu un pacte, elle et moi : on se fout une paix royale et mutuelle. En deux mots, on ne se fait marcher ni l'un ni l'autre !

Il éclata de rire. Laetitia sourit de bon cœur en secouant la tête d'un air résigné : Ernest affectionnait les jeux de mots pas toujours très subtils dont, souvent, il était le meilleur public. Lorsqu'il eut fini de rire pourtant, il redevint sérieux.

— Non, ce qui m'ennuie en ce moment, c'est le dos.

— Ah bon ?

— Je deviens vieux, que veux-tu...

— Ne dites pas de bêtises.

191

— Non, non, sans rire ! Je dois suivre des séances de kiné et même aller nager deux fois par semaine. Mais ça, faut pas exagérer. Les piscines municipales, c'est pas mon truc. Trop de microbes.

— Oh, ils ont fait beaucoup de progrès en matière d'hygiène...

— Je parlais des gosses.

Cette fois, ce fut Laetitia qui éclata de rire. Puis elle lui prit le bras et l'accompagna jusqu'à la porte d'entrée.

— Vous venez dîner à la maison un de ces soirs ?

— Ce ne serait pas de refus. Un petit salé aux lentilles ?

— C'est ce qui vous ferait plaisir ?

Il hocha la tête avec une évidente gourmandise.

— Ça marche pour le petit salé aux lentilles, confirma Laetitia.

Ils s'embrassèrent chaleureusement et, quelques instants plus tard, elle refermait la porte derrière le vieil homme.

Chapitre 35

Les derniers invités partirent vers 19 heures et il fallut encore une bonne demi-heure à David pour tout ranger pendant que Laetitia s'occupait de Milo. Ce fut donc lui qui sortit les poubelles.

Un attroupement au bout de la rue attira immédiatement son attention, d'autant plus qu'étaient stationnées, à proximité, une ambulance et une voiture de police. Intrigué par tant de remue-ménage dans un quartier paisible où, il fallait bien le dire, il ne se passait jamais grand-chose, David s'approcha. Les premiers rangs des curieux et des badauds l'empêchèrent de connaître la cause de l'agitation.

— Que se passe-t-il ? demanda-t-il à son plus proche voisin.

— Un homme qui a fait un malaise cardiaque. Je n'en sais pas plus.

David se dévissa le cou pour tenter d'en voir plus, mais il ne parvint à distinguer qu'un bout de civière sur laquelle un corps était allongé. Il s'apprêtait à rentrer chez lui lorsqu'un groupe de trois personnes se détacha de la foule, libérant ainsi un passage jusqu'au centre de la tragédie. Sans s'en rendre compte, David se rapprocha.

Un corps était en effet étendu sur un brancard, déjà recouvert d'un drap blanc qui ne laissait aucun doute sur l'état de la personne : celle-ci était clairement décédée. Deux urgentistes étaient sur le point de l'embarquer, chacun à une extrémité de la civière.

Puis ils la soulevèrent.

Le mouvement déséquilibra très légèrement le corps, et l'un des bras s'échappa du drap. Les lumières mouvantes et bleutées des gyrophares, qui se reflétaient sur les voitures, les façades des maisons, les visages des badauds, donnaient au décor un climat d'oppression dramatique.

Jusqu'ici plus ou moins indifférent à la scène qui se déroulait sous ses yeux, le regard de David fut attiré comme un aimant par le bras qui se balançait au rythme des pas des brancardiers.

— Attendez ! cria-t-il en se frayant un passage jusqu'à la civière.

Et sans qu'on l'y autorise, il saisit le poignet inerte et observa la montre qui l'ornait.

Son souffle s'accéléra.

Il leva vers les infirmiers un regard effaré et hagard, les sourcils froncés, la gorge sèche, trahissant sa consternation en même temps que son incrédulité.

— Je crois que je connais cet homme. Laissez-moi voir son visage, leur enjoignit-il d'une voix sans timbre.

Les deux hommes ne s'y opposèrent pas et, la bouche sèche, David tendit la main vers le drap au niveau de la tête. Le suspense fut de courte durée : il tira vers lui le pan du tissu et découvrit le visage d'Ernest, figé dans une expression de douleur intense, les traits tirés et le teint jaunâtre.

Chapitre 36

Entre affolement, tristesse et incompréhension, David ressentit sur-le-champ une évidente incohérence dans tous les renseignements qu'il parvint à glaner au moment où l'on emmenait le corps d'Ernest. Les symptômes, l'heure et le déroulement des faits, rien ne correspondait à ce que la logique aurait voulu.

Un voisin, qui s'en retournait chez lui après avoir promené son chien, avait croisé le vieil homme dans la rue peu avant 19 heures. Celui-ci semblait mal en point, du moins sa démarche chaotique trahissait un problème que le promeneur attribua à une consommation abusive d'alcool.

— Il marchait comme un poivrot, expliquait-il à qui voulait l'entendre. Il titubait, on sentait bien qu'il ne tenait plus sur ses jambes. Et puis, il a pris appui contre le mur et s'est mis à vomir. Comme un pochard, quoi ! Moi, j'ai pas voulu m'en mêler et j'ai continué ma route.

Dix minutes plus tard, d'autres voisins qui habitaient plus loin dans une rue adjacente, rentraient chez eux à bord de leur véhicule. Le père, M. Mansion, s'était garé à proximité de l'endroit où se trouvait

Ernest. Celui-ci était alors à genoux par terre, replié sur lui-même en se tenant la poitrine dans une expression de douleur intense. Après être sorti de sa voiture, M. Mansion s'était précipité vers lui en lui demandant s'il avait besoin d'aide tandis que sa femme, alertée par l'attitude du vieil homme, appelait les secours sur son téléphone portable.

L'ambulance était arrivé sur place quelques minutes plus tard. Les urgentistes avaient aussitôt diagnostiqué une attaque cardiaque et tenté de sauver Ernest. Peine perdue. Le vieil homme était décédé peu après, il était très exactement 19 h 36.

Déchiré par le chagrin, David avait emmagasiné les informations sans rien y comprendre.

— Vous connaissiez ce monsieur ? lui avait demandé l'un des policiers dépêchés sur place.

David avait acquiescé d'un mouvement de tête hébété.

— C'était le parrain de mon fils...

— Vous pouvez nous suivre pour l'identification ?

— Il faut d'abord que je prévienne ma femme.

Un autre policier les avait rejoints et glissé quelques mots à l'oreille du premier. Celui-ci avait signifié son accord.

— Je vais prendre vos coordonnées et vous demander de vous présenter demain matin à la préfecture pour une déposition.

David lui avait fourni tous les renseignements dont il avait besoin puis s'était enquis de l'hôpital où l'on avait emmené Ernest. L'ambulance était déjà repartie et il n'y avait plus rien à faire. Ni à voir. Les badauds s'éparpillaient déjà aux quatre coins de la rue, seuls ou en petits groupes, commentant le fait divers dont ils venaient d'être les témoins.

Complètement abattu, David s'en était retourné chez lui.

Tout en effectuant les quelques mètres qui le séparaient de son domicile, il dut faire face à une multitude de réflexions et à tout autant de questions. Comment annoncer cette dramatique nouvelle à Laetitia ? Fallait-il le dire aussi à Milo qui se remettait à peine, semblait-il, de la disparition de Maxime ? Comment l'enfant allait-il appréhender ce nouveau décès dans son entourage proche ? David puisa en lui des ressources surhumaines pour tenter de recouvrer son calme. Il lui fallait prendre une décision immédiate, d'autant qu'il était resté absent bien plus longtemps que le temps nécessaire pour sortir les poubelles : Laetitia allait se – et lui – poser des questions. Il fut néanmoins certain d'une chose, celle de cacher, ce soir-là en tout cas, la mort d'Ernest à Milo. Laisser à l'enfant le souvenir d'un anniversaire sans tache.

Alors qu'il n'était plus qu'à quelques mètres de la maison, il vit Laetitia en sortir, de toute évidence à sa recherche.

— Qu'est-ce que tu fais ? lui demanda-t-elle, plus intriguée qu'inquiète.

— Tout va bien, déclara-t-il en essayant de se composer un visage neutre.

— Que se passe-t-il, là-bas ? dit Laetitia en avisant au loin l'attroupement et les gyrophares de la voiture de police.

— Rien... Un pauvre bougre qui a trop bu. Viens, rentrons.

David décida d'attendre que Milo soit au lit avant d'annoncer la nouvelle à sa femme. L'heure qui suivit, et durant laquelle il dut accomplir les gestes du quotidien comme si de rien n'était, lui parut interminable.

Passé le premier choc, Laetitia mit aussitôt le doigt sur l'incohérence qui lui semblait la plus inexplicable.

— Je ne comprends pas, sanglota-t-elle en posant sur David un regard dévasté. Comment se fait-il qu'en partant d'ici à 16 h 30, on ne le retrouve qu'à 19 heures au bout de la rue. Qu'a-t-il fait pendant ces deux heures et demie ?

— Je ne sais pas, murmura David.

— Il lui est arrivé quelque chose entretemps, ce n'est pas possible...

David secoua la tête en signe d'ignorance.

— Je dois me rendre demain matin à la gendarmerie pour faire une déposition... On en saura sans doute plus.

Ils passèrent une bien triste soirée. Tournant et retournant le problème dans tous les sens, ni l'un ni l'autre ne fut en mesure de trouver une explication plausible à ce « trou » dans l'emploi du temps d'Ernest.

Le cœur serré, Laetitia repensa aux derniers instants qu'elle avait partagés avec le vieil homme...

— Ça ne tient pas debout ! s'exclama-t-elle soudain.

— Je sais...

— Non, ce n'est pas ce que je veux dire... Il a succombé à une attaque cardiaque, n'est-ce pas ?

— C'est ce qu'ont dit les urgentistes.

Laetitia semblait tout à coup très perturbée.

— Quand je l'ai raccompagné à la porte, tout à l'heure, il m'a parlé de ses problèmes de dos.

— Et alors ?

— Quand on a l'âge d'Ernest et que l'on décède d'une crise cardiaque, c'est que le cœur est fragile, non ?

— Sans doute...

— Est-il possible d'avoir une attaque fatale sans avoir eu auparavant des avertissements ?

— Où veux-tu en venir ?

Laetitia s'impatienta.

— Si Ernest avait eu des problèmes cardiaques, il m'en aurait parlé, tu ne crois pas ? Au lieu de cela, il a juste mentionné ses problèmes de dos.

— Qu'est-ce que tu essaies de me dire ?

— À toi, rien. Je me faisais seulement la réflexion qu'Ernest n'avait peut-être pas le cœur si fragile. David soupira. Il n'aimait pas trop la tournure que prenait la conversation.

— Tu leur diras, demain, aux policiers ? insista Laetitia.

— Leur dire quoi ?

— Qu'à notre connaissance Ernest n'avait pas de problème de cœur. Et qu'il y a un trou de deux heures et demie dans son emploi du temps.

Abîmé dans de douloureuses considérations, David garda le silence quelques longues secondes. Plus il y réfléchissait, plus il devait se rendre à l'évidence que les circonstances de la mort d'Ernest étaient équivoques. Dans quelle sordide histoire son vieil ami était-il allé se fourrer ? Bien qu'il fût à la retraite depuis cinq ans environ, David savait qu'Ernest n'avait pas fréquenté que des enfants de chœur.

Il songea également que son propre statut d'ex-taulard toxico n'allait pas jouer en sa faveur et il n'était pas certain de vouloir remettre les pieds dans ce genre d'affaires.

— David ! l'interpella Laetitia en interrompant le cours de ses réflexions. Tu leur diras ?

Il fut un instant tenté de lui faire part de ses pensées... Pourtant, il s'en abstint.

— Si tu veux... céda-t-il en soupirant.

Chapitre 37

David comprit très vite qu'aux yeux des policiers la mort d'Ernest n'avait *a priori* rien de suspect. Aucune marque d'agression n'avait été relevée sur son corps et le médecin légiste avait confirmé la thèse de la crise cardiaque. À 65 ans, la chose n'était pas exceptionnelle. Connaissant le milieu judiciaire pour l'avoir côtoyé du mauvais côté, David demeura sur ses gardes tout au long de l'entretien. Il se contenta de répondre aux questions qu'on lui posait et qui concernaient les liens qu'il entretenait avec la victime, la raison de la présence d'Ernest dans un quartier assez éloigné de son domicile, son emploi du temps au cours des heures qui avaient précédé son décès.

David stipula clairement qu'Ernest avait quitté la fête d'anniversaire aux environs de 16 h 30.

Il s'exprimait par monosyllabes et accompagnait le plus souvent ses réponses d'un mouvement de tête. L'atmosphère faussement calme de la gendarmerie le mettait mal à l'aise, et il ne pouvait s'empêcher de se rappeler l'époque où sa conscience n'était pas aussi sereine qu'aujourd'hui. Malgré tout, il adopta une attitude assurée, ne doutant ni de ses informations, ni de ses réactions. Contrairement au temps de sa misérable jeunesse, il n'avait rien à se reprocher.

— Merci, ce sera tout, déclara au bout d'un moment le policier qui prenait note de sa déposition.

David ne broncha pas ; il avait le souvenir d'interrogatoires beaucoup plus longs et bien moins courtois. Surpris par l'absence de réaction du témoin, le policier releva la tête.

— Ce sera tout, répéta-t-il en levant sur lui un regard appuyé.

— Vous... Vous ne faites pas d'enquête ?

— C'est pas moi qui décide, se contenta de répondre l'agent avec une évidente désinvolture.

L'espace d'un court instant, David éprouva un soulagement instinctif : son douloureux passé lui rappelait que moins il avait de contact avec la police, mieux il se portait. Il hocha une nouvelle fois la tête et s'apprêta à prendre congé, heureux de pouvoir quitter ces lieux qui le rendaient nerveux. Puis il se souvint des doutes de Laetitia et de la promesse qu'il lui avait faite d'insister sur la nature de leurs soupçons. Sans parvenir à dissimuler sa contrariété, il reporta son attention sur l'agent qui, derrière son bureau, continuait de l'observer avec une certaine exaspération. David le dévisagea et lut dans son regard toute l'antipathie que l'homme lui portait. Cette hostilité le retint, et il ressentit aussitôt une oppression aussi déplaisante que familière.

Cette fois, le besoin de sortir se fit pressant.

Était-il vraiment nécessaire d'insister ? Après tout, la police faisait en général bien son travail, il était bien placé pour le savoir, il en avait fait plusieurs fois les frais. Le sourire narquois d'Ernest lui revint en mémoire et, l'espace d'un instant, il regretta plus amèrement encore son absence. Que s'était-il passé ? Laetitia avait-elle raison de croire à une mort suspecte ? David songea alors qu'il avait donné

201

aux flics toutes les informations dont ils avaient besoin pour aboutir aux mêmes conclusions que sa femme. Que pouvait-il faire de plus ? Sans compter que, d'un naturel réservé, il avait conservé de ses années de délinquance un goût pour la discrétion : moins il se faisait remarquer, moins il avait d'ennuis.

C'était en outre l'un des conseils dont Ernest l'avait abreuvé à sa sortie de prison.

— Vous voulez encore quelque chose ? lui demanda l'agent du ton de celui qui souhaite mettre un terme à l'entrevue et tient à faire passer le message.

Pris de court, David revint sur son interlocuteur et se crispa. Non, il ne souhaitait rien de plus. Tout ce qu'il voulait, c'était partir de là et rentrer chez lui.

Il secoua la tête et se leva. Puis il se dirigea vers la sortie sans demander son reste.

Chapitre 38

La disparition d'Ernest jeta un nouveau voile sombre sur l'existence de David et Laetitia. Comme une malédiction. Deux décès de proches en moins de trois mois les rendaient suspicieux envers un destin dans lequel ils ne se reconnaissaient plus. Le halo de mystère qui entourait les circonstances dans lesquelles le vieil homme avait trouvé la mort ajoutait encore à leur anxiété.

Il fallut annoncer la nouvelle à Milo, ce qu'ils firent en inscrivant l'événement dans un contexte naturel : les vieilles personnes finissent par mourir, c'est dans l'ordre des choses.

L'enfant n'en fut pas plus consolé pour autant. Contrairement à la perte de Maxime, celle d'Ernest provoqua chez le petit garçon des larmes en abondance. Laetitia en fut presque soulagée, préférant de loin voir son fils exprimer sa tristesse plutôt que de la garder en lui. Le souvenir de son indifférence lors de la disparition de Maxime lui glaçait le sang. Ce qui n'empêcha pas Milo de s'assombrir au fil des jours. Outre un manque d'intérêt en classe, d'entrain à la cour de récréation et une mine de plus en plus chagrine, le garçonnet perdit bientôt l'appétit.

David et Laetitia qui, dans un premier temps, n'avaient pas donné suite à la proposition de thérapie de Justine Philippot, reconsidérèrent leur décision. D'autant qu'eux-mêmes commençaient à manquer de ressources pour affronter l'avenir avec sérénité. Laetitia dormait mal, ses nuits étaient peuplées de rêves inquiétants qui ne cessaient de la hanter, des images absurdes dont elle tentait de pénétrer le sens lorsque, au petit matin, le sommeil la fuyait pour de bon. En vain. Les jours passants, elle réalisa que toute sa vision du monde s'était pervertie suite aux deux drames. Elle devenait craintive, était en permanence sur le qui-vive, éprouvait un frisson d'angoisse chaque fois que le téléphone sonnait, persuadée qu'une nouvelle catastrophe allait lui tomber dessus, et sursautait au moindre bruit inhabituel, que ce soit à la maison, au bureau ou dans la rue.

Mais ce fut envers Milo surtout qu'elle devint d'une vigilance envahissante d'abord, encombrante ensuite, importune enfin. Perpétuellement sur son dos, elle ne lui laissait aucune minute de répit, surveillant ses faits et gestes, le mettant en garde contre tout et n'importe quoi, terrorisée à l'idée qu'il puisse lui arriver quoi que ce fût.

Si David ressentait sensiblement la même chose, il l'exprimait d'une manière bien différente. Plus intérieure. Et plus agressive. Les défenses instinctives qu'il s'était forgées enfant revinrent dominer ses réactions, sans compter les réminiscences d'une époque où chaque jour était un combat. Plus encore, c'étaient les soupçons qu'il nourrissait sur la façon dont Ernest avait trouvé la mort qui le rendaient suspicieux. Que tout cela se soit déroulé à quelques mètres à peine de son domicile ne lui plaisait vraiment pas. Il pouvait tout imaginer. Surtout le pire. Le passé a parfois une fâcheuse tendance à être trop présent.

Peu à peu, ses anciens démons revinrent le hanter.

En première ligne de cette morosité ambiante : Milo, véritable buvard des émotions néfastes qui dévoraient ses parents. Dans un premier temps, l'enfant s'opposa farouchement à sa mère. La pression perpétuelle qu'elle faisait peser sur lui le rendait rétif à toute discipline. Il disait « non » à tout, devenait insolent et se plaignait sans cesse. Quant à David, il inspirait à Milo une crainte maussade : si Laetitia ne s'en sortait pas quand elle était seule avec lui, le petit garçon filait doux dès que son père rentrait, mais sans joie ni connivence.

Ils reprirent donc rendez-vous chez Justine Philippot.

— Si je comprends bien, la première fois, vous êtes venus me voir parce que, selon vous, votre enfant n'exprimait pas assez son chagrin. En revanche, aujourd'hui, c'est parce qu'il l'exprime de manière excessive que vous vous inquiétez.

David et Laetitia échangèrent un regard confus.

— Je souhaiterais, pour cette séance, m'entretenir seule avec Milo, ajouta la pédopsychiatre. Vous pouvez patienter dans la salle d'attente.

Ils acquiescèrent, se levèrent et quittèrent la pièce.

— J'ai la sensation d'être une mauvaise élève mise à la porte de la classe parce que je n'ai pas bien fait mes devoirs, soupira Laetitia en prenant place sur un siège de la petite salle d'attente.

— C'est un peu le cas, maugréa David.

Devant l'air intrigué de sa femme, il ajouta :

— Si on avait correctement fait notre boulot de parents, on ne serait pas là.

Cette réflexion fit comprendre à Laetitia que les séances chez la pédopsychiatre étaient vécues par lui comme un échec. Elle fut un instant tentée de contester son point de vue, d'adoucir l'amertume d'une défaite aux relents d'impuissance... Elle se tut pourtant. À quoi bon ?

L'heure qui suivit fut morne et silencieuse. Enfin, la porte s'ouvrit : d'un mouvement de tête, Justine Philippot leur fit signe de venir les rejoindre. Milo s'était installé sur le siège qu'occupait précédemment sa maman et, prenant appui sur le bureau, il dessinait avec application. Tout en rajoutant une chaise entre celles déjà en place, le médecin invita les parents à prendre place aux côtés de leur enfant. Dès que ce fut fait, elle prit la parole.

— Pouvez-vous me raconter les circonstances exactes dans lesquelles Ernest a trouvé la mort ?

Si Justine Philippot avait formulé sa demande sous forme de question, il était clair qu'elle attendait des précisions conformes à la stricte vérité. David et Laetitia échangèrent un nouveau regard, soucieux cette fois, qui n'échappa pas à la pédopsychiatre.

David raconta la façon dont les choses s'étaient déroulées le jour de l'anniversaire de Milo : sa présence au goûter, son départ aux environs de 16 h 30, son corps retrouvé plus de deux heures et demie plus tard au bout de la rue.

— De quoi est-il mort ?

— Crise cardiaque, répondit aussitôt Laetitia.

— Vous sentez-vous responsable du décès de votre ami ?

— Absolument pas ! s'exclamèrent en chœur les deux parents.

La pédopsychiatre se tourna alors vers le petit garçon.

— Voilà Milo, cela répond-il à tes questions ?

L'enfant, qui durant le bref récit de son père n'avait pas cessé de dessiner, leva enfin les yeux de sa feuille. Il considéra Justine Philippot un court instant puis hocha furtivement la tête.

— As-tu d'autres questions à poser à tes parents ?

Le petit garçon réfléchit quelques secondes avant de demander :

— C'est quoi, une crise cardiaque ?

Ayant compris que la séance avait porté pour l'essentiel sur ce que David et elle tentaient de cacher à Milo, Laetitia répondit aussitôt :

— Parfois, quand on devient vieux ou si l'on est en mauvaise santé, il arrive que le cœur s'arrête subitement de battre. C'est ce que l'on appelle avoir une crise cardiaque.

Elle attendit une réaction, peut-être même une autre question, puis, comme le garçonnet gardait le silence, elle reprit :

— Milo... Tu trouves que papa et moi, nous ne t'avons pas assez expliqué ce qui s'était passé pour Ernest ?

Le regard baissé comme s'il refusait d'affronter celui de sa mère, l'enfant se contenta de hausser les épaules.

— Milo, regarde-moi, insista-t-elle avec douceur.

Pour toute réponse, il reporta son attention sur son dessin et, d'un geste décidé, traça quatre gros traits en forme de croix. Puis il tendit la feuille de papier à la pédopsychiatre. Celle-ci s'en empara et le détailla avec attention. Ensuite, sans un mot, elle le plaça devant David et Laetitia.

Le dessin représentait cinq personnages disposés les uns à côté des autres. Le premier était un petit garçon, sans hésitation Maxime, reconnaissable à ses lunettes rondes à monture bleue. Le second était Ernest, identifiable à sa barbe grise et ses cheveux en broussaille. Au milieu du dessin se tenait David et juste à côté de lui figurait Laetitia. Enfin, écrasé contre le bord de la feuille, un autre petit garçon, Milo de toute évidence, semblait s'excuser d'occuper le peu de place qui lui était octroyée.

Deux grosses croix en forme de X rayaient les personnages de Maxime et d'Ernest.

Chapitre 39

Ce fut ce soir-là, une fois rentrés chez eux après l'éprouvante séance de psychothérapie, que le premier accident impliquant Milo se produisit. Laetitia était à l'étage et déshabillait l'enfant pour lui faire prendre son bain, lorsqu'on sonna à la porte d'entrée. David alla ouvrir et découvrit Tiphaine tenant dans une main une plante en pot ornée de jolies fleurs pourpres en forme de clochettes, et dans l'autre un paquet cadeau.

— Plusieurs choses ! déclara-t-elle d'emblée après avoir salué son ami. La première, la voici : c'est le cadeau d'anniversaire de Milo. On est vraiment désolés de ne pas être passés... C'était au-dessus de nos forces.

— Je comprends... acquiesça David en s'emparant du cadeau.

— Et ça, c'est pour Laetitia, poursuivit Tiphaine en tendant la plante à David. Ce sont des digitales, des vivaces qu'elle peut replanter dans le jardin, ou laisser en pot sur la terrasse, c'est comme elle veut... On s'en débarrasse au boulot et je n'ai plus de place dans mon jardin. C'est joli et ça fleurit tout l'été.

— Merci...

— Et puis, j'ai une proposition malhonnête à vous faire : j'ai fait un immense couscous, on en a dix fois trop. Ça vous dirait de venir le partager avec nous ? Surpris, David eut le réflexe de se retourner, cherchant des yeux l'assentiment de Laetitia, qui pourtant était à l'étage.

— Ça nous ferait plaisir, ajouta Tiphaine.

— D'accord... Dès que Milo a pris son bain, on vous rejoint chez vous.

Tiphaine lui accorda un sourire reconnaissant. Elle s'apprêtait à rentrer chez elle quand David lui rendit le paquet cadeau.

— Tiens. Tu le lui donneras toi-même.

— Ça marche.

Fleurant bon le savon et le shampooing, c'est un Milo tout propre et tout beau dans son pyjama Superman qui reçut des mains de sa marraine un magnifique circuit électrique. Présent qui suscita aussitôt la convoitise de Sylvain et David, qui se dévouèrent pour aider le petit garçon à le monter.

— Ce n'est peut-être pas la peine de tout déballer ce soir, intervint Laetitia. Si tu veux jouer avec demain matin, attends plutôt d'être à la maison...

— Il peut dormir ici s'il en a envie, suggéra Tiphaine. Comme ça, il joue avec son circuit pendant qu'on prend l'apéro et demain matin, quand il se réveille, il aura tout le temps d'en profiter.

Milo accueillit la proposition de Tatiphaine avec enthousiasme.

— Oh oui ! S'te plaît, maman, je peux dormir ici ?

David et Laetitia s'interrogèrent du regard. Le malaise de Laetitia à l'égard de Tiphaine persistait, même si elle ressentait une certaine culpabilité à éprouver pareil sentiment.

— Où... Où va-t-il dormir ? s'enquit-elle en craignant déjà la réponse.

— Dans la chambre d'amis, répliqua Tiphaine sur le ton de l'évidence.

— La chambre d'amis ?

— Nous avons transformé la chambre de Maxime en chambre d'amis, expliqua-t-elle avec simplicité. Reste juste à y mettre des amis.

Sylvain ébouriffa la tête bien coiffée du petit garçon :

— Et notre Milo national est un ami, n'est-ce pas ?

— Il est même plus que ça, ajouta Tiphaine à mi-voix.

Un silence embarrassé accueillit l'idée d'imaginer Milo en train de dormir dans ce qui fut autrefois la chambre de Maxime. À cette pensée, Laetitia réprima un frisson glacé et son cœur se mit à battre un peu plus vite. Elle était sur le point de refuser lorsque Milo l'implora avec ferveur.

— Je t'en supplie, maman ! Je peux dormir ici ?

L'insistance de son fils la perturba, lui faisant lâcher le peu de détermination qu'elle éprouvait encore. À présent confuse et indécise, elle se tourna vers Tiphaine et Sylvain avec la sensation d'essayer de gagner du temps.

— Vous êtes sûrs ?

— Je t'ai expliqué notre point de vue à ce sujet, l'assura Tiphaine avec une pointe d'agacement dans la voix.

La situation devenait ridicule : tant d'hésitations pour ce qui, auparavant, était l'évidence même commençaient à créer un véritable malaise. David mit fin aux tergiversations maladroites de Laetitia.

— Bien sûr que tu peux dormir ici, mon grand ! s'exclama-t-il en s'adressant à Milo.

Le petit garçon exprima bruyamment sa joie et, sans perdre plus de temps, entreprit d'ouvrir la boîte de son circuit électrique. Le sujet était clos. Laetitia, quant à elle, affichait un sourire qui se voulait en accord avec la décision générale.

Tiphaine et Sylvain semblaient détendus. Du moins, il était évident qu'ils adoptaient une attitude décontractée, tentant dans la mesure du possible de donner à cette soirée une certaine légèreté. Légèreté qui fut pourtant mise à mal lorsque David et Laetitia leur annoncèrent la mort d'Ernest.

Les Geniot ne dissimulèrent pas leur stupéfaction. Ils s'enquirent des circonstances du drame, commentèrent les informations qui leur furent fournies, s'interrogèrent sur l'emploi du temps d'Ernest comme les Brunelle l'avaient fait avant eux. Puis ils s'inquiétèrent du moral de leurs amis ainsi que de la façon dont Milo avait pris la nouvelle.

— On ne peut pas dire que nous nageons dans le bonheur pour l'instant, reconnut Laetitia en baissant la voix afin de ne pas se faire entendre du petit garçon. Disons que ça fait un peu beaucoup de...

Elle interrompit sa phrase, consciente du caractère singulier de ses lamentations : se plaindre de traverser une période sombre à des parents qui venaient de perdre leur unique enfant était pour le moins indécent. Soudain honteuse de sa propre douleur, elle leva sur Tiphaine et Sylvain un regard confus pour découvrir dans le leur une force qui la tétanisa. Comme si, à son insu, les rôles avaient subitement été inversés.

Son trouble s'accrut encore lorsque Tiphaine tendit vers elle une main amicale en signe de réconfort. Un geste qui de toute évidence signifiait : « Ne t'inquiète pas, je suis là. Je sais ce que c'est d'avoir mal. Je suis passée par là. » Il lui semblait pourtant que la période de deuil était loin de toucher à son terme, tout comme la souffrance d'une si grande perte n'avait pu, ne POUVAIT avoir trouvé le temps de se résorber...

— Comment faites-vous ? murmura-t-elle en déployant l'immense effort de contenir ses larmes.

211

David la rejoignit aussitôt et l'enlaça avec retenue. Mais ce qui à l'origine était une marque de soutien fut perçu comme un rappel à l'ordre et, l'espace d'un instant, chacun sembla s'excuser : les Brunelle de ne pas aller trop bien, les Geniot de ne pas aller trop mal. Ce fut Milo qui, d'un ton autoritaire, mit fin à cette pénible situation. Il réclama l'attention des adultes et exigea de pouvoir jouer avec son cadeau. Chacun accueillit l'intrusion de l'enfant avec soulagement, et le temps, qui semblait s'être arrêté, reprit sa course d'un pas régulier.

Tandis que les hommes se penchaient sur la notice du circuit électrique, les femmes, elles, préparaient l'apéritif. Dans la cuisine, elles devisaient de sujets anecdotiques, Tiphaine faisant à Laetitia le récit des tensions qui persistaient entre deux de ses collègues et dont elle ne supportait plus la rivalité. Laetitia écoutait d'une oreille distraite, réalisant au bout d'un moment que, inconsciemment, elle cherchait encore un prétexte pour reprendre Milo le soir même.

Exaspérée par ses propres craintes, elle tenta de chasser cette ridicule obsession et fit un effort pour se détendre.

— J'ai acheté des chips mexicaines spécialement pour Milo, déclara soudain Tiphaine en désignant sur le plan de travail une coupelle dans laquelle elle avait déjà versé une portion. Je sais qu'il les adore.

— C'est gentil...

La remarque de Tiphaine étonna pourtant Laetitia. N'avait-elle pas dit à David qu'elle avait fait un couscous en trop grande quantité, raison pour laquelle elle leur avait demandé de se joindre à eux pour le dîner ? De toute évidence, cette invitation n'était pas aussi improvisée qu'ils avaient voulu leur faire croire.

De retour au salon, chacune avec un plateau contenant verres, bouteilles et coupelles garnies de petites choses à grignoter, elles déposèrent le tout sur la table basse et servirent l'apéritif. La construction du circuit avançait bien, si ce n'est que Milo tournait autour des deux hommes comme une âme en peine, affichant son désœuvrement. David et Sylvain, quant à eux, semblaient beaucoup s'amuser.

— Vous ne pourriez pas le faire participer ? leur fit remarquer Tiphaine non sans reproche.

— On dirait deux gamins, ajouta Laetitia en pouffant.

— Milo, va me chercher mes lunettes dans la cuisine, elles doivent être sur le plan de travail, lui demanda Sylvain.

Heureux de se voir confier une mission, le petit garçon quitta le salon en courant.

— Ben quoi ? se défendit Sylvain en réponse au regard accusateur de Tiphaine. Je le fais participer !

— Vous venez trinquer ? proposa Laetitia en leur tendant un verre à chacun.

David et Sylvain abandonnèrent le circuit pour les rejoindre autour de l'apéritif. Par habitude, ils levèrent leur verre mais aucun toast ne fut porté. C'était la première fois qu'ils se retrouvaient tous les quatre à partager un moment de détente depuis la mort de Maxime, qui plus est chez Tiphaine et Sylvain. Y pensaient-ils, chacun, tandis qu'ils sirotaient leur verre à petites gorgées silencieuses ?

Le retour de Milo perturba cet instant à la fois anodin et pourtant empreint d'une gêne diffuse. Il tendit une paire de lunettes à Sylvain qui s'en saisit en remerciant le petit garçon.

— Tu veux boire quelque chose, Milo ? s'enquit Tiphaine.

L'enfant secoua la tête.

— Tiens, regarde, je t'ai acheté des chips, ajouta-t-elle en s'emparant de la coupelle qu'elle tendit à l'enfant. Rien que pour toi !

213

— Des chips ! s'exclama David en feignant de vouloir les manger.

Alors qu'il avançait la main pour en prendre une poignée, Tiphaine l'en empêcha par une petite claque sonore.

— Pas touche !

Milo se mit à rire.

— Vas-y, sers-toi, mon grand, déclara-t-elle ensuite en lui présentant les chips.

L'enfant en prit une poignée puis s'en retourna auprès de son circuit. Les quatre adultes poursuivirent leur apéritif en devisant de choses et d'autres, autant de sujets de conversation qui, s'ils ne comportaient rien de passionnant, avaient au moins l'avantage d'éviter tout embarras. En vérité, l'exercice était des plus compliqués. Tandis que Sylvain évoquait les hauts et les bas du marché immobilier, que Laetitia l'écoutait analyser avec un intérêt feint et un ennui certain, elle songea soudain que Maxime avait emporté avec lui leur principal intérêt commun.

Cette pensée la perturba. Elle se fit la réflexion que leur amitié datait pourtant d'une époque où ils n'avaient pas d'enfant... De quoi parlaient-ils alors ? Et d'ailleurs, quand Maxime était toujours parmi eux, s'entretenaient-ils exclusivement des enfants ? Bien sûr que non. Alors quoi ? Laetitia compris que, avant, il existait entre eux une incontestable complicité qui, aujourd'hui, leur faisait défaut. Ce constat l'attrista, mais plus encore que ses propres regrets, la jeune femme réalisa que le drame qui avait frappé ses amis avait irrémédiablement creusé un fossé entre eux. Un fossé qui ne serait jamais plus comblé.

Le malheur est un fardeau qui, à l'inverse du bonheur, ne se partage pas.

Une plainte douloureuse interrompit ses réflexions, la ramenant brutalement dans le salon de Tiphaine et Sylvain. David parlait à présent de la sauvegarde des espèces menacées sans qu'elle saisisse comment on était passé des fluctuations de la pierre à celle de la vie animale.

— Milo ? Tu vas bien ?

C'est Tiphaine qui avait posé la question, et son ton alarmiste affola tout de suite Laetitia. Tournant la tête vers son fils, elle le découvrit plié en deux, se tenant le ventre.

— Milo !

En deux enjambées, elle rejoignit le petit garçon et le saisit à bras-le-corps. L'enfant se contracta dans un soubresaut qui exprimait toute sa souffrance tandis qu'il levait vers sa mère un visage à la fois livide et couvert de sueur. Horrifiée, Laetitia voulut le serrer contre elle, mais au moment où elle refermait les bras autour de lui, Milo se raidit, pris de convulsions.

— Qu'est-ce qu'il a ? hurla-t-elle en cédant à la panique. Faites quelque chose, bon sang !

Tiphaine se tenait debout au milieu de la pièce, pétrifiée par la scène qui se déroulait sous ses yeux. David, qui les avait rejoints, semblait ne rien comprendre à ce qui se passait, tout comme Sylvain. Soudain Tiphaine quitta le salon en trombe et se dirigea vers la cuisine. Son absence ne dura que quelques secondes. L'instant d'après, elle se précipita vers Laetitia, lui arracha l'enfant des bras auquel elle enfonça un doigt dans la bouche, le forçant ainsi à régurgiter.

— Appelle une ambulance, vite ! vociféra-t-elle à l'adresse de Sylvain.

Celui-ci, totalement hébété, sembla émerger de sa torpeur. Il se jeta sur le téléphone et composa le numéro des urgences.

Dans les bras de Tiphaine, Milo vomissait tripes et boyaux.

Chapitre 40

Dans le couloir des urgences, David et Laetitia attendaient le verdict avec angoisse. Dès leur arrivée dans le centre hospitalier, Milo avait été emmené dans une salle dont l'accès leur avait été interdit. Abandonnés d'un seul coup par toute l'agitation qui les avait accompagnés jusque-là, l'ignorance du sort de leur enfant ainsi qu'un insupportable sentiment d'impuissance leur infligeaient mille tourments. Laetitia restait prostrée sur un siège, David faisait les cent pas le long du couloir.

L'ambulance était arrivée à peine cinq minutes après l'appel de Sylvain et les secouristes avaient aussitôt enfoncé une sonde gastrique dans la bouche du petit garçon avant de l'embarquer dans l'ambulance. David et Laetitia s'étaient engouffrés de concert à sa suite dans le camion qui avait alors démarré sur les chapeaux de roues. Sur le chemin qui les conduisait à l'hôpital, toutes sirènes hurlantes, l'enfant n'avait cessé de gémir, les yeux révulsés et le corps secoué de spasmes.

Épouvantée, Laetitia avait cru qu'elle était en train de perdre son fils.

À présent qu'il n'y avait rien d'autre à faire qu'attendre, la jeune femme se repassait le film de la soirée afin de tenter de comprendre ce qui s'était passé : qu'avait ingurgité Milo pour être si malade ? À part les chips spécialement préparées pour lui par Tiphaine, elle n'eut pas le souvenir qu'il ait ingéré quoi que ce fût de dangereux, ni même de suspect. Un détail pourtant lui taraudait l'esprit : dès que les ambulanciers étaient entrés dans la maison, c'était Tiphaine qui avait insisté pour qu'on lui fasse un lavage d'estomac. L'un des urgentistes s'était alors brièvement entretenu avec elle avant d'ordonner l'introduction d'une sonde gastrique par voie orale.

De toute évidence, Tiphaine savait quelque chose qu'elle-même ignorait.

Laetitia serra les dents : la défiance suspicieuse qu'elle nourrissait à l'endroit de sa voisine s'en trouva accrue.

C'est pourquoi, en la voyant apparaître en compagnie de Sylvain tout au bout du couloir et se diriger vers eux d'un pas rapide – ils avaient suivi l'ambulance avec leur propre véhicule –, elle bondit sur ses pieds et se précipita à leur rencontre.

— Qu'est-ce qu'il a mangé ? cria-t-elle à l'adresse de Tiphaine avant même qu'elle les ait rejoints, faisant ricocher l'écho de sa voix contre les parois du couloir. Qu'est-ce que tu lui as fait ?

— Laisse-moi t'expliquer, Laetitia, se défendit celle-ci en agitant les mains devant elle en signe d'apaisement. C'est un accident. Un terrible et regrettable accident.

À ces mots, David emboîta le pas à sa femme et, quelques secondes plus tard, les deux couples se firent face. Tiphaine tenta une explication :

— Tu te souviens quand Sylvain lui a demandé d'aller chercher ses lunettes qui se trouvaient sur le plan de travail dans la cuisine... Milo a dû trifouiller dans les décoctions et les cataplasmes que je fabrique à base de plantes, dont certaines sont très toxiques, du moins à ce stade de ma préparation... Je les avais entreposées sur le plan de travail... Il y a goûté, c'est la seule explication... Or celles que j'ai préparées aujourd'hui sont destinées à être utilisées en cataplasme, elles ne peuvent en aucun cas être ingérées !

Elle bredouillait et semblait très perturbée, ce qui n'émut en rien Laetitia.

— Salope ! hurla-t-elle en se jetant sur Tiphaine. Tu as voulu tuer mon fils ! Tu ne supportes pas de le voir vivre, alors tu as essayé de le faire disparaître !

Tout en l'accusant des pires horreurs, elle la martelait de ses poings. David la saisit aussitôt par les épaules pour l'éloigner de Tiphaine qui, les bras croisés devant elle en guise de bouclier, subissait l'attaque sans esquisser le moindre geste pour se défendre. Sylvain, quant à lui, s'interposa immédiatement entre les deux femmes en tentant de faire entendre raison à Laetitia.

— Calme-toi, bon sang ! Tu dis n'importe quoi !

Lorsqu'elles furent séparées, Tiphaine éclata en sanglots.

— C'est un accident, gémit-elle en s'affaissant sur elle-même. Je n'y suis pour rien, je te le jure. C'est juste un accident...

David maintenait toujours Laetitia par les épaules en essayant de la tourner vers lui afin de capter son regard et de l'apaiser. Mais la jeune femme était à la fois bouleversée et ivre de rage.

— Je ne te crois pas ! éructa-t-elle en tentant de se dégager de l'emprise de David. Tu l'as fait exprès !

— Comment peux-tu dire une chose pareille ? sanglota Tiphaine, affolée par la tournure que prenaient les événements.

— Et toi ? Comment as-tu pu laisser des produits toxiques à sa portée ?

— Je n'ai jamais voulu lui faire de mal ! Je venais tout juste d'achever...

— On ne laisse pas des produits toxiques à la portée d'un enfant, vociféra Laetitia sans prêter attention à ses arguments. Tout le monde sait ça ! Tu n'as jamais voulu lui faire de mal ? Alors explique-moi comment il a pu avoir accès à tes poisons !

Tiphaine, semblable à une poupée de chiffon, molle et exsangue dans les bras de Sylvain, releva brutalement la tête et dévisagea Laetitia d'un douloureux regard.

— Si je fais moins attention à ce que je laisse traîner sur mes meubles et aux dangers de la maison en général, c'est parce qu'il n'y a plus d'enfant chez moi ! hurla-t-elle dans un cri de souffrance intense.

Un éclair d'aversion traversa la pupille de Laetitia. À son tour elle abandonna toute résistance, David relâcha son étreinte. À présent libérée de son étau, elle se campa sur ses deux pieds et toisa Tiphaine d'un œil chargé de mépris.

— Tu te trompes, Tiphaine, rectifia-t-elle d'une voix dure. C'est justement parce que tu ne fais pas attention aux dangers de la maison qu'il n'y a plus d'enfant chez toi.

— Ça suffit ! hurla Sylvain, horrifié.

Le cri tétanisa les deux femmes. Le visage déformé par la douleur, Sylvain lâcha Tiphaine qui tomba à genoux sans cesser de sangloter. Puis il s'avança à pas lents vers Laetitia et, pointant sur elle un doigt menaçant, réitéra son injonction :

— Ça suffit, Laetitia. Ferme-la ! Ferme-la ou je casse ta sale petite gueule de sainte-nitouche !

D'instinct, la jeune femme fit un pas en arrière. David en profita pour passer devant elle, faisant ainsi barrage de son corps. Un silence hostile s'installa alors, et chacun s'observa avec aversion, amertume, malveillance ou chagrin. Avec méfiance, en tout cas

Un regard dans lequel toute la souffrance des derniers événements côtoyait le doute et l'appréhension. Un regard qui sonnait le glas d'une amitié déjà moribonde.

David soupira.

— Laissez-nous, maintenant, ordonna-t-il d'une voix sourde. Partez !

On n'entendait plus que les sanglots de Tiphaine. Les deux hommes se tenaient toujours l'un en face de l'autre, et, bientôt, Sylvain baissa la tête. Alors, lentement, il fit demi-tour, aida sa femme à se relever et, la soutenant de ses bras, ils s'éloignèrent tous deux en direction de la sortie.

Chapitre 41

L'attente reprit, égrainant les secondes dans un cortège de sensations, le fol espoir côtoyant la plus impitoyable des terreurs. Quand la certitude d'être à l'abri du malheur se fendille inexorablement, comme un éclat qui entraîne des fissures à l'âme que l'on tente de colmater, parce que ce genre de choses n'arrive qu'aux autres... Et puis des mots qui traversent l'esprit, des images qui surgissent et s'attardent, impitoyables, insupportables. Alors, on ferme les yeux pour ne plus voir, ne plus sentir, ne plus penser, dérisoires tentatives d'échapper au désastre par la seule force de sa volonté...

Laetitia avait repris sa position prostrée sur son siège, David s'était remis à faire les cent pas. Le temps semblait être suspendu dans une sorte de désert, un purgatoire dont le bras séculier pouvait s'abattre à tout instant à l'annonce du verdict. Une salle de tribunal, une salle de torture... Une salle d'attente.

Perdue dans ses réflexions, Laetitia réalisa soudain qu'elle retenait son souffle, comme si par ce moyen elle pouvait ralentir la course du temps et la figer à jamais en un lieu où tout serait encore possible. Son petit garçon allait-il mourir ? L'idée même lui était inconcevable.

Et soudain, le simple fait de toucher du doigt le calvaire enduré par Tiphaine et Sylvain éclaira d'un jour nouveau sa perception des choses.

Ce qu'elle avait dit à Tiphaine, les accusations qu'elle lui avait lancées sans vraiment réfléchir, juste pour faire mal, comme si sa propre douleur pouvait s'estomper en blessant quelqu'un d'autre... Son inconscient avait parlé, elle en était persuadée.

Tiphaine avait-elle tenté de tuer Milo ?

Laetitia commençait sincèrement à le croire. Et plus elle y réfléchissait, plus la logique de son raisonnement lui apparaissait avec clairvoyance et lucidité : comment Tiphaine pouvait-elle ne fût-ce que supporter la vision de Milo ?

Il était l'image même de son fils disparu, l'enfant que Maxime ne serait jamais plus, le souvenir perpétuel de ce qu'elle avait perdu pour toujours.

L'accusation vivante de la faute qu'elle avait commise.

Sans compter que les deux enfants avaient été inséparables et que le souvenir de Maxime était irrémédiablement lié à Milo. Car Tiphaine, par-delà la douleur, avait dû se rendre à l'évidence : elle seule était responsable de la mort de son petit garçon. Dès lors, comment survivre avec cette insupportable lame qui, à chaque instant, à chaque microseconde de la journée, devait lui déchirer le cœur ?

Mais le pire dans le tourment qu'enduraient Tiphaine et Sylvain au quotidien, c'était de voir s'épanouir sous leur yeux le bonheur qui leur était maintenant interdit. Ce voisinage qu'ils avaient autrefois porté aux nues s'était transformé en un supplice chaque jour plus cruel : Milo qui rentrait de l'école, Milo jouant dans le jardin, l'anniversaire de Milo, les rires de Milo, Milo qui grandissait... Milo qui vivait ! Inconcevable symbole d'un ravissement déchiqueté par le glaive de la culpabilité. Leurs voisins vivaient au Paradis quand eux-mêmes avaient sombré dans les affres de l'Enfer.

Puisque ce Paradis leur était désormais interdit, leur seule chance de survie était de le détruire.

Oui, elle en était à présent persuadée, Tiphaine avait tenté de tuer Milo. Ce n'était pas un accident. En outre, elle n'avait pas le souvenir d'avoir vu un quelconque récipient contenant une mixture à base de plantes lorsque, dans la cuisine, elle avait préparé l'apéritif en compagnie de Tiphaine. Celle-ci lui avait dit les avoir entreposés sur le plan de travail... Si cela avait été réellement le cas, elle les aurait remarqués... Comment Tiphaine s'y était-elle prise pour faire ingérer du poison à Milo ?

— Les chips ! s'exclama-t-elle soudain en se redressant sur son siège.

David tourna vers elle un regard surpris.

— Quoi, les chips ?

— Tiphaine a empoisonné Milo !

— Qu'est-ce que tu racontes ?

— Rappelle-toi ! Tiphaine avait versé des chips dans un bol avant même que nous préparions l'apéritif. Et lorsque tu as voulu en prendre quelques-unes, elle t'en a empêché en te tapant sur la main. Les chips étaient destinées à Milo, elle sait bien qu'il les adore... Je suis persuadée qu'elle y avait mis du poison.

— Tu délires !

David ne semblait pas du tout partager son opinion. Comme il n'avait pas suivi le fil de ses réflexions, Laetitia ne doutait pas un seul instant qu'il se rallierait à son point de vue lorsqu'elle lui en ferait part. Il serait bien obligé d'en convenir puisque leurs voisins constituaient désormais une menace pour eux. Et la proximité de leurs domiciles respectifs ajoutait encore au danger qu'encourait leur enfant.

Ce qui auparavant faisait leur force était à présent devenu la plus inquiétante de leurs faiblesses.

Laetitia s'apprêtait à expliquer à David la logique de son raisonnement lorsque la porte de la salle dans laquelle se trouvait Milo s'ouvrit. Un médecin apparut et les rejoignit en quelques pas.

— Vous êtes les parents du petit Milo ?

David et Laetitia acquiescèrent en silence, la gorge nouée et le souffle suspendu.

— Je suis le docteur Ferreira. Il est peut-être encore un peu tôt pour l'affirmer avec certitude, mais j'ai de bonnes raisons de penser qu'il est hors de danger.

Chapitre 42

Dans la voiture qui les ramenait chez eux, Tiphaine ne cessait de gémir. Ses plaintes résonnaient dans l'habitacle comme celles d'un animal à l'agonie. Sylvain, qui conduisait, fixait la route d'un regard sombre, impuissant à soulager la détresse de sa femme.

— Il va s'en sortir, murmura-t-il, alors qu'ils étaient immobilisés à un feu rouge.

— S'il meurt, je me tue ! rugit Tiphaine en se prenant la tête entre les mains.

— Ne dis pas de bêtises...

— S'il meurt, je me tue ! répéta-t-elle d'une voix tragique pour lui signifier toute sa détermination.

— Il ne mourra pas.

La pluie se mit à tomber, striant le pare-brise de fines rigoles. Très vite, l'éclat du feu rouge se dispersa à l'intérieur de la voiture en une lueur diffuse. D'un geste presque las, Sylvain actionna les essuie-glaces, et leurs grincements réguliers accompagnèrent en rythme les sanglots de Tiphaine, comme un métronome un peu moqueur. Sylvain fut sur le point de dire quelque chose, hésita et se tut finalement.

Le feu passa au vert.

— Peut-être que je suis tout simplement incapable de m'occuper d'un enfant, se lamenta Tiphaine d'une voix à peine audible.

Elle fixait un point dans le vague, le regard perdu dans l'horreur de ce que le destin pourrait réserver à Milo.

— Peut-être que Laetitia a raison de se méfier de moi, ajouta-t-elle d'une voix angoissée.

— Il s'en sortira, je te le promets.

— Ça ne change rien...

— Tu es sous le choc, Tiphaine. Laetitia l'était aussi. Demain, nous y verrons plus clair.

Enfin, il passa la première et redémarra.

Chapitre 43

Milo reprit ses esprits quelques heures plus tard mais le docteur Ferreira imposa de le garder en observation jusqu'au surlendemain pour plus de sécurité. L'enfant avait ingéré à peine quelques grammes d'une préparation à base de colchique, plante très toxique mais remède souverain contre la goutte, que Tiphaine avait confectionnée dans le but de soulager son père qui souffrait de ce mal. C'est du moins ce qu'elle avait pris soin d'expliquer aux ambulanciers lorsqu'ils étaient arrivés chez elle afin de les convaincre d'effectuer sans tarder un lavage d'estomac. La colchique contient de la colchicine, connue pour ses propriétés diurétiques, analgésiques et anti-inflammatoires, mais elle est également un poison violent qui, même absorbé en faible quantité, produit des troubles le plus souvent très graves, voire mortels. Bien que le petit garçon n'en eût avalé qu'une dose infime, la toxicité de la plante avait suffi à lui provoquer un malaise virulent.

« Colchiques dans les prés, fleurissent, fleurissent,
Colchiques dans les prés, c'est la fin de l'été. »

Durant deux jours, David et Laetitia se relayèrent au chevet de leur fils qui, au fil des heures, reprenait couleurs et consistance. Sitôt qu'il fut suffisamment conscient pour pouvoir parler, Laetitia lui posa la question qui lui brûlait les lèvres :

— Est-ce que tu as avalé quelque chose dans la cuisine de Tatiphaine quand tu es allé chercher les lunettes de Sylvain ?

Le petit garçon se rembrunit. Il garda le silence quelques longues secondes avant de secouer négativement la tête. Le cœur de Laetitia s'emballa dans sa poitrine. Toutefois, l'expression du petit instilla un doute dans son esprit : elle connaissait bien son fils et cet air buté qu'il prenait lorsqu'il avait fait une bêtise.

— Milo, mon chéri, c'est important, reprit-elle avec douceur. Je te promets de ne pas me fâcher, mais il faut me dire la vérité. Est-ce que tu as bu ou mangé quelque chose quand tu étais tout seul dans la cuisine chez Tatiphaine ?

La bienveillance de sa mère parut rassurer l'enfant et, levant vers elle un regard contrit, il avoua :

— Il y avait un bol sur la table, on aurait dit de la cassonade dedans mais en plus jaune.

— Tu en as mangé ?

— Un peu...

— Et ça avait quel goût ?

— C'était pas bon. Alors j'ai recraché dans l'évier.

Laetitia soupira.

— Tu as bien fait...

L'aveu confirmait les dires de Tiphaine, mais Laetitia ne parvenait pas à se débarrasser de ses doutes. Si Milo avait recraché la mixture dans l'évier, comment se faisait-il qu'il ait à ce point été malade ?

— Tu as tout recraché ou tu en as tout de même avalé un petit peu ?

— Je ne sais plus...

Dès le lendemain, il mangeait de bon appétit et, le surlendemain, il réclamait de rentrer à la maison. Au matin du troisième jour, le docteur Ferreira le laissa donc sortir de l'hôpital non sans noyer ses parents sous une pluie de recommandations : dans certains cas et à partir d'une certaine dose, la colchicine peut encore faire des ravages jusqu'à dix jours après l'intoxication.

— D'après les analyses, Milo ne présente plus la moindre trace de cette substance, mais si les plus petits symptômes de troubles digestifs, cardiaques, nerveux ou respiratoires devaient se manifester, vous foncez à l'hôpital sans perdre une seconde. Il faudra aussi faire un examen de contrôle toutes les quatre semaines. On se revoit donc dans un mois.

David et Laetitia acquiescèrent et repartirent avec leur petit garçon.

Ce soir-là, après avoir couché son fils, Laetitia entreprit d'expliquer à David la nature de ses soupçons. Elle y avait encore réfléchi de longs moments au cours des deux jours précédents et, pour elle, il ne faisait aucun doute que leur voisine avait volontairement attenté à la vie de Milo. Depuis la disparition de Maxime, la douleur l'égarait au point de lui faire perdre la raison. Pour preuve, les accusations aberrantes qu'elle avait lancées contre Laetitia, celles de n'avoir pas tout fait pour sauver son fils, et jusqu'à l'incriminer comme ayant une véritable part de responsabilité dans la mort de l'enfant.

— Et ce revirement de situation, juste après l'enterrement, poursuivit-elle avec rancœur. Tu ne trouves pas ça bizarre ? Ils refusent obstinément de nous adresser la parole puis, soudain, ils veulent qu'on redevienne les meilleurs amis du monde.

— Tiphaine a reconnu ses torts, objecta David.

— Foutaises ! C'était le seul moyen pour eux de pouvoir approcher Milo !

— Tu ne crois pas que tu exagères un peu ?
Laetitia ouvrit de grands yeux stupéfaits.
— Qu'est-ce qu'il te faut de plus ? Elle n'a été que deux fois en contact avec Milo depuis la mort de Maxime et, à deux reprises, elle l'a mis en danger !
— Deux fois ? s'étonna-t-il. Et que s'est-il passé la première fois ?
— David, bon sang ! s'énerva-t-elle. Je l'ai retrouvé penché à la fenêtre de la chambre de Maxime ! Comme si... comme si elle voulait lui faire subir le même sort !
David restait dubitatif, ce qui mit Laetitia hors d'elle.
— Je ne comprends pas pourquoi tu refuses l'évidence. Milo représente pour elle une torture permanente : chaque fois qu'elle le voit, chaque fois qu'elle l'entend, ça lui rappelle Maxime et la faute impardonnable qu'elle a commise. Et tout ça, à quelques mètres à peine de son domicile ! S'il existe une représentation de l'Enfer sur terre, ce doit être celle-là !
— Calme-toi, Laetitia, tempéra David. Je suis d'accord sur le fait qu'il faut éviter tout contact avec eux à l'avenir. Mais je ne crois pas que Tiphaine ait voulu tuer Milo.
— Ah non ? lança la jeune femme, étranglée par la colère. Comment tu peux en être si sûr ? Vas-y, je t'écoute !
David prit le temps de réfléchir avant de répondre.
— Primo, Milo a lui-même reconnu avoir ingurgité un truc improbable qui ressemblait à de la cassonade.
— Qu'il a tout de suite recraché dans l'évier ! contesta aussitôt Laetitia.
— Peut-être en a-t-il avalé à son insu... Et puis de toute façon, rien ne permettait à Tiphaine d'être certaine que Milo allait en effet goûter à sa préparation...

— Bien sûr que si ! Je suis persuadée qu'elle en avait mis dans les chips. Milo a dit : « De la cassonade en plus » ! Ça ne te rappelle rien ?

David jeta un regard intrigué à sa femme.

— C'est exactement la couleur des chips mexicaines avec cette espèce de poudre jaune qui les enrobe ! s'exclama Laetitia comme si elle détenait là une preuve irréfutable. Il lui a suffi d'en saupoudrer le bol de chips et personne n'en a rien vu. Ce qu'elle a raconté aux ambulanciers, à savoir que Milo avait soi-disant piqué dans ses décoctions, c'est du n'importe-quoi !

— Il se trouve pourtant que Milo l'a fait...

— Oui, mais ce n'est pas ça qui l'a rendu malade.

— Alors, explique-moi pourquoi elle a tout fait pour le sauver.

Laetitia gloussa d'un rire narquois.

— Qu'est-ce qu'elle a fait pour le sauver ?

— C'est elle qui l'a fait vomir, c'est elle qui a hurlé à Sylvain d'appeler les secours, et c'est encore elle qui a demandé aux ambulanciers de lui faire un lavage d'estomac, énuméra David avec calme.

— Évidemment ! Si elle n'avait pas fait tout cela, elle aurait été la première à être accusée de meurtre et elle aurait terminé ses jours en prison ! Tandis qu'en agissant comme elle l'a fait, on peut juste appeler ça un accident domestique. C'est la faute à pas de chance.

David se tut, perplexe.

— Je me suis renseignée, David, poursuivit Laetitia qui ne lâchait pas le morceau. La colchique est un poison d'une rare violence qui provoque des vomissements spontanés et qui, malgré cela, entraîne la mort dans la plupart des cas.

— Alors comment se fait-il que Milo s'en soit sorti ?

— Parce qu'il n'en a pas avalé assez ! Son plan a foiré, voilà tout !

Une nouvelle fois, David garda le silence. Le raisonnement de Laetitia l'ébranlait sans pour autant le convaincre. À bout d'arguments, la jeune femme décréta :

— De toute façon, il est hors de question qu'elle s'approche encore de lui.

— Je suis d'accord...

— Mais tu ne me crois pas quand je te dis qu'elle a bien voulu le tuer.

David soupira.

— Non. Je connais Tiphaine, elle serait incapable de faire une chose pareille.

Laetitia serra les dents et, se levant afin de dominer David de toute sa rancœur :

— Écoute-moi bien, David : si un jour notre fils se retrouve de nouveau en danger à cause de ta stupide confiance, je t'en tiendrai pour personnellement responsable.

Puis elle quitta la pièce sans un regard en arrière.

« La feuille d'automne, emportée par le vent,
En ronde monotone, tombe en tourbillonnant. »

Chapitre 44

Depuis peu, Tiphaine s'était mise au jogging. Courir sans motivation précise hormis celle de bouger, courir droit devant elle, courir pour n'aller nulle part, juste courir. Cette activité lui donnait la sensation de reprendre pied dans une réalité pourtant dépourvue de saveur. Mais la course l'empêchait de penser. Elle alignait les pas à petites foulées rapides, fixait le bout de la rue comme s'il s'agissait d'un but à atteindre et laissait ses membres s'occuper du reste. Elle n'en attendait rien de plus. Faire le tour du pâté de maisons et recommencer. Dilapider ses forces, gaspiller son énergie, se dépenser pour rien d'autre que l'épuisement physique en espérant qu'ensuite, de retour chez elle, la fatigue du corps aurait raison de celle de l'esprit. En général, lorsqu'elle avait couru, elle rêvait moins la nuit. Et ça lui convenait parfaitement.

Ce jour-là, en achevant son douzième tour, elle aperçut au loin Laetitia qui sortait de sa voiture, les bras chargés de sacs, avant d'ouvrir non sans difficulté la portière arrière à Milo. Elle s'immobilisa et, l'espace d'un instant, la tentation de rebrousser chemin fut sur le point de l'emporter. Esquiver l'affrontement, se cacher derrière le coin et attendre que la voie soit libre... Mais à la vue de Milo qui s'extirpait du véhicule, les yeux rivés sur sa Nintendo, son cœur se mit à battre plus vite sans que l'effort n'y soit pour rien. Alors, sans vraiment réfléchir, elle reprit sa course. Ses pas l'entraînaient cette fois vers un but, et malgré la courte trajectoire pour l'atteindre, elle ignorait encore tout du chemin qu'elle allait emprunter. Renouer ? Sans doute pas. Mais du moins convaincre Laetitia de sa bonne foi. Essayer tout au plus. Sans se faire trop d'illusions sur la ligne d'arrivée.

En parvenant à leur hauteur, elle entendit les paroles de Laetitia, de toute évidence adressées à Milo.

— Et ferme la portière, si ce n'est pas trop te demander !

Le ton était irrité. Laetitia semblait de mauvaise humeur. Était-ce le bon moment pour tenter quelque chose ? Il avait en tout cas l'avantage de se présenter et Tiphaine décida de ne pas le laisser passer.

— Laetitia ! On peut parler quelques instants ?

Laetitia se retourna. L'étonnement imprimait sur ses traits la stupeur de celle qui se sent trahie et ne l'admet pas. Le temps sembla se suspendre, mais avant que la jeune femme n'ait eu le temps de trouver quoi dire, Tiphaine s'était approchée de Milo dont elle ébouriffa la tête.

— Ça va, mon grand ?

Le sourire qu'il lui rendit lui réchauffa le cœur.

— Bonjour, Tatiphaine !

La réaction de l'enfant parut agir comme un électrochoc sur Laetitia. Excédée, elle les rejoignit en deux enjambées, saisit son fils par le bras et le fit fermement passer derrière elle.

— Je t'interdis de lui adresser la parole, siffla-t-elle entre ses dents.

Tiphaine encaissa l'attaque sans broncher.

— Laetitia, s'il te plaît... On peut parler ?

— Milo, rentre à la maison ! lui intima sa mère.

234

— Maman...

— Rentre, je te dis ! le somma-t-elle d'un ton qui ne souffrait pas la discussion.

Milo hésita puis, la mine boudeuse, s'éloigna en direction du domicile. Une fois qu'il fut hors de portée, Laetitia revint sur Tiphaine :

— Je te préviens, espèce de malade mentale, si je te vois encore une fois tourner autour de lui, je t'arrache les yeux !

Cette entrée en matière ôta à Tiphaine les dernières traces d'espoir qui subsistaient encore en elle : Laetitia ne la croirait jamais, elle avait été stupide d'imaginer que le contraire fût possible. Mais comme elles se tenaient là, face à face, il fallut bien répondre quelque chose.

— Écoute, Laetitia, si tu n'arrives pas à comprendre que je n'ai jamais voulu...

— Tais-toi ! murmura-t-elle en fermant les yeux en signe d'intense exaspération. Épargne-moi tes excuses à deux balles, je n'y crois pas une seconde !

— Ah non ? Et qu'est-ce que tu crois, alors ?

Laetitia la toisa d'un regard glacial.

— J'ai très bien compris ce que tu cherches à faire, Tiphaine. Mais je te préviens : la prochaine fois qu'il arrive quoi que ce soit à Milo, j'appelle les flics !

Cette façon de voir les choses la surprit. Elle n'avait pas imaginé que Laetitia pût à ce point délirer. La gravité de ses accusations l'inquiéta.

— Je ne sais pas dans quel délire parano tu es en train de sombrer, Laetitia, mais ce qui est sûr, c'est que tu es complètement à côté de la plaque, murmura-t-elle d'un ton qu'elle voulut convainquant. S'il te plaît, essaie de me croire, un tout petit peu. Et si tu ne veux pas le faire pour moi, fais-le pour Milo. Parce que là, tu es en train de le détruire à petit feu...

En face d'elle, Laetitia haussa un sourcil narquois tandis qu'une lueur de cruauté traversait sa pupille, comme un éclair zébrant un ciel d'orage.

— C'est vrai que tu t'y connais, toi, dans la manière de détruire un enfant, articula-t-elle d'un ton presque suave.

Sous la brutalité de l'insinuation, Tiphaine fut aveuglée par une douleur odieuse qui lui fit perdre toute contenance : elle gifla Laetitia. Elle la gifla sans retenue. Et sans réfléchir.

Laetitia accusa le choc, le regard exorbité. Au bout de ses deux bras, les sacs de courses et le reste pesèrent plusieurs tonnes, qu'elle lâcha pour porter la main à sa joue, interdite.

— Tu n'as pas le droit ! fulmina Tiphaine en retenant ses larmes.

Laetitia se tenait face à elle et, Tiphaine le pressentait, elle était prête à lui sauter au visage pour lui arracher les yeux. C'est peut-être ce qui se serait produit si un cri n'avait pas mis un terme à cet affrontement chargé de haine.

— Laetitia !

Du pas de sa maison, David surgit puis les rejoignit. Il saisit aussitôt Laetitia par les épaules et la fit passer derrière lui dans un geste de protection.

— Elle vient de me gifler !

— Certaines allusions font parfois plus de mal qu'une gifle, balbutia Tiphaine, elle-même affolée par la tournure qu'avait prise la confrontation.

David tourna vers Tiphaine un regard dur, cherchant ses mots avant de pointer sur elle un doigt menaçant.

— Cette fois, tu as été trop loin, Tiphaine ! On va porter plainte.

À cet instant Tiphaine comprit qu'elle ne pouvait plus rien faire et que la rupture était désormais consommée.

— Comme tu voudras, David. Tu vois, la grosse différence entre nous désormais, c'est que moi, je n'ai plus rien à perdre.

Carnet de santé

7-8 ans

Les activités extrascolaires sont bénéfiques pour votre enfant, tant qu'elles ne surchargent pas son emploi du temps.
M. rechigne à faire une activité en dehors de l'école... Faut-il le forcer ? Propositions : Aïkido ? Théâtre ? Dessin ? Musique ? Utilisation abusive de la Nintendo ! À surveiller.
Les repas pris ensemble peuvent être un bon moyen d'échange et de détente. Et si vous pensiez à éteindre la TV ? Pas de télé dans la cuisine. M. mange de bon appétit. Il aime raconter ses journées à l'école. Très bonne relation entre nous.
Notes du médecin :
Poids :   . Taille :

Chapitre 45

Les jours raccourcissaient, cependant l'automne fut doux cette année-là. Durant la semaine qui suivit l'altercation, les Brunelle et les Geniot ne se croisèrent pas. Ce qui autrefois faisait partie du charme de vivre les uns à côté des autres était désormais devenu une épée de Damoclès dont la menace rendait toute sortie déplaisante : le risque de se rencontrer dans le quartier ou même de distinguer la présence de l'autre à quelques mètres à peine dans le jardin voisin donnait au quotidien un arrière-goût d'âcre méfiance.

Le samedi suivant, Laetitia passa une bonne partie de la matinée à s'occuper du linge en attente : lessiver celui qui s'accumulait dans le panier et plier, repasser et ranger celui qui attendait sur le séchoir. David était absent, il parcourait les rues de la ville à bord de son taxi. Quant à Milo, après avoir regardé un DVD de Jimmy Neutron durant l'heure autorisée, il demanda la permission à sa mère de jouer dans le jardin.

Laetitia accepta à contrecœur. Elle n'aimait pas l'idée d'exposer son fils aux regards de Tiphaine qui, depuis les fenêtres du premier étage de sa maison, avait une large vue sur les deux jardins. D'un autre côté, interdire à Milo de jouer dehors était totalement ridicule, elle s'en rendait bien compte. Elle décida donc d'installer la planche à repasser dans la salle à manger, dont les portes-fenêtres ouvertes donnaient un accès direct à la terrasse et lui offraient ainsi un panorama complet du jardin.

L'humeur de Milo demeurait maussade, plus encore depuis son retour de l'hôpital. L'ambiance générale de la maison n'avait plus rien de commun avec la légèreté d'autrefois : Laetitia était à cran la plupart du temps, ce dont David lui faisait le constant reproche et il n'était pas rare que des disputes éclatent entre eux. Au sujet de son séjour à l'hôpital, on n'avait pas expliqué grand-chose à l'enfant, si ce n'est qu'il n'aurait pas dû goûter à la cassonade jaune. Mais il avait parfaitement compris que sa mère tenait Tiphaine pour responsable de l'accident et que son père ne partageait pas son point de vue. Lui-même ne savait que penser, et il se sentait déchiré entre les deux avis. Sans compter qu'il portait aux parents de Maxime une réelle affection et qu'il souffrait de ne plus les voir. Dernier point, et non des moindres : le circuit électrique, que Milo avait réclamé à plusieurs reprises, était resté chez eux.

— Ce n'est pas possible, mon chéri, lui répondait à chaque fois sa mère.

— Pourquoi ?

— Si tu veux absolument avoir un circuit électrique, papa et moi nous t'en achèterons un.

C'était la seule réponse qu'il parvenait à obtenir. Mais la raison exacte qui l'empêchait de reprendre celui qu'on lui avait déjà offert demeurait un véritable mystère. Connaissant la position de son père à ce sujet, il tenta d'obtenir une explication.

— Ta maman est très fâchée contre Tatiphaine et elle ne veut plus rien accepter d'elle.

— Mais c'est pas elle qui accepte, s'était insurgé le petit garçon. C'est moi !

— Je sais, mon grand.

— Elles vont rester fâchées pour toujours ?

Après avoir considéré son fils d'un air navré, David s'était contenté de hausser les épaules en signe d'ignorance.

Ce soir-là, à travers les cloisons de sa chambre, l'enfant avait perçu des éclats de voix qui provenaient du rez-de-chaussée. De toute évidence, ses parents se disputaient encore, et les termes « circuit électrique » revinrent à plusieurs reprises dans la querelle. Enfouissant son visage dans son oreiller, Milo avait décidé de faire une croix sur son jouet.

Tout en repassant son linge, Laetitia repensait à la dispute de la veille. David lui avait reproché d'inquiéter inutilement Milo et d'instiller en lui le sentiment néfaste d'être en danger.

— Il EST en danger ! avait-elle soutenu, désespérée de ne pouvoir convaincre son mari de la réalité du péril qu'encourait, selon elle, leur petit garçon.

— Mais arrête, bon sang ! s'était emporté David. Tu deviens complètement parano, ma parole ! Et puis, tu veux bien me dire en quoi Milo courrait le moindre danger s'il récupérait son cadeau ?

— Je n'en sais rien, admit-elle à contre cœur.

David ébaucha un sourire triomphant qui s'évanouit dès qu'elle ajouta :

— Mais je suis persuadée que Tiphaine est suffisamment perturbée pour transformer un simple jouet en quelque chose de dangereux, a fortiori un circuit électrique.

Il aurait éclaté de rire si la situation n'était pas triste à mourir.

— C'est toi qui commences à être vachement perturbée ! rétorqua-t-il en la considérant avec pitié.

Laetitia se sentit blessée au plus profond de son être et, tapant du poing sur la table, elle donna libre cours à sa colère :

— Écoute-moi bien, David Brunelle, que tu cherches à protéger cette dégénérée me dépasse. Mais qu'en plus tu te permettes de m'insulter, je... je ne le supporterai pas !

Et cachant son visage dans ses mains, elle éclata en sanglots.

David ne dissimula pas son exaspération : il poussa un profond soupir et dû refréner son envie de partir en claquant la porte. L'obsession de sa femme à voir le danger partout commençait à lui taper sur les nerfs. Mais plus que tout, il lui en voulait de faire supporter à Milo le poids de ses angoisses. Déjà passablement bouleversé par la mort de Maxime, puis par celle d'Ernest, l'enfant avait perdu sa joie de vivre ainsi que l'insouciance à laquelle il avait droit. Laetitia réalisait-elle que son attitude ne faisait que le perturber davantage, le rendant maussade et mélancolique ?

En la voyant pleurer, malheureuse et vulnérable, David prit une décision, celle de briser le cercle infernal dans lequel elle s'était elle-même enferrée. Comment s'y prendre ? Il ne voyait qu'une solution : la forcer à aller au bout de sa propre logique.

— OK ! déclara-t-il avec force. Tu considères donc que Milo est en danger, c'est bien ça ? Que Tiphaine représente pour lui une réelle menace parce qu'elle ne peut pas supporter l'idée de le voir grandir sous ses yeux.

— Ça me semble évident, répondit-elle entre deux sanglots.

— Alors, il faut déménager !

Les larmes de Laetitia se tarirent sur-le-champ. Elle ouvrit de grands yeux ahuris et considéra David avec stupéfaction.

— Quoi ?

— Si tu considères que notre enfant est en danger ici, à quelques mètres à peine de Tiphaine et Sylvain, alors c'est de notre devoir de le protéger. Déménageons !

— Il en est hors de question ! protesta-t-elle.

— Et pourquoi ?

— Cette maison était celle de mes parents, j'ai grandi entre ces murs et je veux que mon fils y grandisse aussi. Je ne vois pas pourquoi, sous prétexte que ma voisine est devenue complètement tarée, je devrais plier bagages. Si quelqu'un doit partir, c'est elle !

— Tu ne peux pas forcer des gens à déménager sous prétexte que tu considères que leur présence est néfaste pour ton enfant... Mais si tu es certaine de ce que tu avances, alors c'est à toi d'agir.

L'argument était imparable et Laetitia ne trouva rien à répliquer. Le désir de voir Tiphaine et Sylvain disparaître définitivement de son univers la submergea avec une force presque désespérée.

— C'est injuste, gémit-elle tandis que ses larmes recommençaient à couler.

— Peut-être, mais c'est comme ça.

Elle s'abîma dans une douloureuse réflexion, ponctuée de sanglots et de reniflements.

Partir d'ici ? Quitter cet endroit qui renfermait tant de choses, à commencer par son enfance, celle de son fils et jusqu'au souvenir de ses parents ? Arracher Milo à son quartier et peut-être même devoir le changer d'école ? Et puis, pour aller où ? À l'instant même où elle formulait toutes ces interrogations, Laetitia comprit qu'elle était loin d'être prête à envisager une issue si radicale.

— Si tu ne ressens pas cette solution comme une évidence, alors peut-être que Milo n'est pas aussi en danger que tu sembles le penser... conclut David comme s'il suivait le fil de ses réflexions à livre ouvert.

Laetitia gloussa d'un rire désabusé.

— Tu veux juste me prouver que j'ai tort, n'est-ce pas ?

— Je veux juste te prouver que tu exagères et que tu le sais au fond de toi. D'accord, Tiphaine n'est pas droite dans ses bottes, mais sincèrement, Laetitia, on le serait à moins, tu ne crois pas ? Elle a perdu son fils ! Elle ne s'en remettra jamais. Bien sûr, je suis d'accord avec toi : je n'ai absolument plus envie de prendre le moindre risque vis-à-vis de Milo. Tiphaine et Sylvain, c'est terminé, on ne les verra plus, basta. Mais cesse de croire qu'elle lui veut du mal ! Et surtout, évite de répandre ce genre d'idées dans la tête de Milo. C'est toi qui lui fais du mal, là... Alors s'il te plaît, arrête ta parano et essayons tous les deux de rendre le sourire à notre enfant !

David avait encore trouvé les mots justes. Les larmes de Laetitia redoublèrent d'intensité. Puis, elle se leva, contourna la table et se lova dans les bras de son homme. Enfin, pour toute réponse, elle l'embrassa avec passion.

Le souvenir du terme de cette dispute coïncida avec la fin de son repassage. Laetitia plia le dernier pantalon, le posa sur le dessus de la pile de linge et débrancha le fer. Dehors, elle perçut la silhouette de Milo qui s'activait au fond du jardin. Puis elle s'empara du panier et monta à l'étage. Là, elle prit le temps de ranger chaque vêtement à sa place avant de changer les draps du lit du petit garçon. Cela lui prit environ une dizaine de minutes. Lorsqu'elle redescendit au rez-de-chaussée, elle passa par la cuisine et se servit un verre d'eau.

Tout en se désaltérant, elle regardait distraitement par la fenêtre qui donnait sur le jardin. Perdue dans ses pensées, elle ne remarqua rien d'anormal. Ce n'est qu'en déposant le verre dans l'évier que soudain son instinct lui souffla que quelque chose ne tournait pas rond.

Chapitre 46

Laetitia fit rapidement le tour par la salle à manger et sortit sur la terrasse. Sitôt dehors, elle embrassa le jardin d'un regard circulaire.

— Milo ?

D'un pas rapide, elle alla jusqu'aux buissons qui ornaient le mur du fond sans cesser d'appeler son fils. Elle fourragea dans les taillis...

— Milo, si tu te caches, montre-toi ! Ce n'est pas drôle !

... Se tourna pour examiner l'étendue d'herbe dans l'autre sens, fouilla des yeux l'ensemble de la terrasse...

— Milo, bon sang, où es-tu ?

... Se dirigea ensuite vers la remise dont elle ouvrit la porte...

— Milo ?

... S'immobilisa, le souffle court, percevant la panique qui montait sournoisement en elle : dans la petite cabane, elle ne découvrit que les outils de jardinage, la tondeuse, ainsi que quelques sacs de terreau empilés dans un coin et derrière lesquels il était impossible de se cacher. Le cœur battant, elle pivota sur elle-même et avisa l'extrémité de la haie, là où Maxime et Milo avaient commencé à percer un passage. Sans même prendre la peine de refermer la porte de la remise, elle s'y précipita et, s'agenouillant à hauteur d'enfant, examina l'étroit goulet et ses alentours. Aucune trace de Milo.

De plus en plus angoissée, elle se redressa et se hissa sur la pointe des pieds afin de regarder par-dessus la haie. Bien que le jardin de Tiphaine et Sylvain fût beaucoup plus planté que le leur, elle ne perçut aucun mouvement.

Cette fois, elle dut se rendre à l'évidence : Milo n'était plus dans le jardin.

Était-il rentré à l'intérieur de la maison sans qu'elle s'en aperçoive pendant qu'elle était au premier ? Au pas de course, elle fit le chemin en sens inverse et pénétra dans la salle à manger pour faire le tour des pièces du rez-de-chaussée tout en hurlant le prénom de l'enfant. Elle fit de même à l'étage, mais tandis qu'elle passait d'une chambre à l'autre sans même prendre la peine de fouiller dans les coins, ouvrir les placards ou encore regarder sous les lits, son instinct lui soufflait déjà qu'elle n'y trouverait pas son fils.

À court d'idée, ou plutôt repoussant la seule pensée qui la remplissait d'effroi, Laetitia redescendit l'escalier jusque dans le hall, ouvrit la porte d'entrée et fit quelques pas dans la rue.

Celle-ci était déserte, à l'exception des voitures qui, à quelques secondes d'intervalle, passaient avec indifférence pour disparaître aussi rapidement qu'elles étaient apparues.

À présent, l'affolement paralysait son discernement, et tandis qu'elle tournait sur elle-même au milieu du trottoir, l'obsédante certitude qu'il était arrivé quelque chose à son petit garçon ravageait son esprit tourmenté.

— Salope ! murmura-t-elle en se dirigeant à grandes enjambées vers la maison de ses voisins.

Elle écrasa son doigt sur la sonnette, attendit, réitéra son geste, patienta encore puis, comme personne ne se manifestait, tambourina à la porte.

— Je sais que tu es là, Tiphaine ! hurla-t-elle à pleins poumons. Ouvre cette porte ou j'appelle la police !

Ensuite, collant son oreille contre le battant, elle tenta de percevoir la preuve de ce qu'elle venait d'avancer.

Derrière la porte, le silence était total.

Laetitia sentit ce qui lui restait de sang-froid l'abandonner. En proie à une terreur sourde, elle courut jusqu'à sa propre porte et rentra chez elle où, se jetant littéralement sur le téléphone, elle composa le numéro de David. Lorsque celui-ci répondit, la jeune femme était en pleurs.

Il mit quelques instants avant de comprendre de quoi il s'agissait tant le discours de Laetitia était confus. Elle évoquait la disparition de Milo sans qu'il parvienne à en saisir les circonstances, accusait Tiphaine de séquestration et menaçait de pénétrer par effraction chez ses voisins afin de sauver leur fils.

— Calme-toi, Laetitia, pour l'amour du ciel ! tenta David d'une voix qui se voulait à la fois sèche et pondérée. Qu'est-ce qui te fait croire qu'il est chez Tiphaine et Sylvain ?

— Il était dans le jardin, David ! Le seul endroit où il ait pu aller, c'est là. Il a dû passer par le trou dans la haie, il n'y a pas d'autre possibilité !

— Pourquoi serait-il allé chez eux ?

— Tu ne comprends pas ? aboya Laetitia au bord de l'hystérie. C'est elle qui l'a attiré en l'appâtant avec je ne sais quel mensonge. Il faut que je parvienne à entrer dans la maison, sans quoi Milo est perdu !

— Ne fais rien ! cria David en s'énervant à son tour. Surtout ne fais rien. Ou plutôt si : appelle la police, dis-leur que Milo a disparu et attends-moi. J'arrive tout de suite.

Il coupa nerveusement la communication et reposa son téléphone sur le siège passager. Puis, se rangeant sur le côté de la chaussée, il immobilisa son taxi. Il se tourna alors vers le client qu'il venait de charger et, après s'être excusé, lui demanda de sortir du véhicule.

— C'est une blague ? protesta celui-ci qui ne semblait pourtant pas goûter la plaisanterie.

— Je suis désolé, monsieur... Je viens de recevoir un appel téléphonique de ma femme, il est arrivé quelque chose à notre fils. Je dois rentrer chez moi de toute urgence !

Comme l'argument était de poids, le client aurait dû obtempérer sur-le-champ. Malheureusement, le bonhomme semblait ne pas avoir d'enfants.

— Ce ne sont pas mes affaires ! répliqua-t-il d'un ton sec. Conduisez-moi à l'adresse que je vous ai indiquée et ensuite vous irez où bon vous semble.

David comprit qu'il avait affaire à un emmerdeur. Le temps pressait, et chaque seconde perdue à tenter de le convaincre de quitter son taxi lui mettait les nerfs à vif. Il poussa un soupir ostensible, coupa le contact et sortit de la voiture. Puis, faisant le tour, il ouvrit la portière arrière d'un geste ferme.

— Sortez, monsieur !

— C'est hors de question ! répondit le client en se cramponnant à sa mallette comme si celle-ci lui assurait de pouvoir rester à l'intérieur du véhicule.

David ne fit ni une ni deux, il l'agrippa par le revers de son veston avant de le tirer d'un coup sec, l'obligeant ainsi à s'extraire de la voiture. L'homme tenta de résister : tout en poussant des cris de protestation, il se laissa lourdement retomber sur le côté, ce qui força David à le lâcher. Ce dernier perdait patience. Il fit une nouvelle tentative, mais cette fois des deux mains, et c'est à quatre pattes que le client fut traîné hors de l'habitacle. Sitôt qu'il fut complètement sorti, David le lâcha et l'homme s'affala par terre. Puis, sans un regard en arrière, il reprit sa place au volant, mit le contact et démarra sur les chapeaux de roues.

Dans son rétroviseur, il eut encore le temps de voir le client se relever tout en hurlant ce qui semblait être les pires insultes. À moins que ce ne fût des menaces. Cinq minutes plus tard, David freinait devant son domicile dans un crissement de pneus et se précipitait à l'intérieur de la maison. Lorsqu'il pénétra dans le hall d'entrée, il trouva Laetitia à genoux par terre, qui vidait avec des gestes fébriles et désordonnés le tiroir du buffet.

— Qu'est-ce que tu fais ? lui demanda-t-il, étonné.

— Je cherche ces putains de clés ! hurla-t-elle sans même le regarder

— Quelles clés ?

— Celles de Tiphaine et Sylvain !

— Tu as appelé la police ?

— Ils seront là d'un instant à l'autre.

David demeura quelques secondes sans rien dire, observant sa femme s'acharner sur les objets qui encombraient le meuble, les prendre les uns après les autres et les balancer sur le côté dès lors qu'ils ne l'intéressaient pas.

— Arrête, Laetitia ! lui ordonna-t-il d'un ton sec. Calme-toi et explique-moi plutôt ce qui s'est passé.

La jeune femme ne répondait pas. Elle poursuivait sa fouille, prenait, jetait, recommençait, jurait en gémissant et essuyait ses larmes du revers de sa manche.

— Bon sang, Laetitia, arrête-toi ! cria-t-il à bout de nerfs.

Laetitia tressaillit et, enfin, leva vers lui un regard de détresse. Il la saisit par les épaules et la força à se relever. Elle se laissa guider par la puissante poigne de son mari. Alors, à cet instant, elle s'abandonna dans ses bras et pleura toutes les larmes de son corps.

— Tu veux bien m'expliquer maintenant ? lui demanda-t-il doucement.

Chapitre 47

Il n'y avait pas grand-chose à expliquer. Laetitia lui raconta le déroulement de la matinée, s'attardant sur la dizaine de minutes durant lesquelles elle avait laissé Milo sans surveillance : la dernière fois qu'elle l'avait vu, il jouait au fond du jardin... Ensuite, plus rien.

— Un enfant ne disparaît pas comme ça, murmura David, décontenancé. Il doit forcément être quelque part !

— Il est là-bas ! s'insurgea Laetitia en indiquant la direction de la maison de Tiphaine et Sylvain. Dieu sait ce qu'elle est en train de lui faire ! Et toi...

Elle se détacha de David, soudain révoltée. Comme il tentait de la maintenir contre lui, elle le repoussa plus vigoureusement et, devant son air surpris, pointa sur lui un doigt accusateur.

— Tu refusais de me croire quand je te disais qu'elle lui voulait du mal. Et maintenant... Maintenant...

Elle s'interrompit dans un hoquet de douleur, considérant David d'un regard chargé d'amertume et de colère puis, brutalement, fila ventre à terre vers la salle à manger et sortit en trombe sur la terrasse. Là, elle s'empara d'une chaise, la plaça juste à proximité de la haie et, de la même manière qu elle l'avait fait lorsqu'elle avait découvert avec horreur Milo à la fenêtre de la chambre de Maxime, elle entreprit de l'escalader.

— Qu'est-ce que tu fous ? Laetitia !

David, qui l'avait suivie de près, voulut la saisir par la taille afin de l'empêcher de passer de l'autre côté.

— Lâche-moi ! hurla-t-elle en se débattant.

En équilibre précaire sur la chaise, elle réussit néanmoins à passer une jambe par-dessus la haie tandis que, de l'autre, elle rejetait David en arrière d'un violent coup de pied dans l'abdomen. Si le choc ne lui occasionna pas une grande douleur, il perdit l'équilibre et fut contraint de la lâcher. La jeune femme en profita pour passer l'autre jambe avant de se laisser retomber sur la terrasse voisine.

Sans perdre un instant, elle se releva, se précipita vers la porte-fenêtre qui donnait sur la cuisine des voisins et essaya de la faire coulisser. Peine perdue, celle-ci était fermée à clé. Alors, sans se préoccuper des cris de protestation de David qui, de l'autre côté de la haie, tentait de la raisonner, elle s'empara d'un tabouret de bois posé dans un coin de la terrasse...

— Laetitia, non !

... le brandit par-dessus sa tête...

— Lâche ce tabouret !

... et l'abattit de toutes ses forces sur la vitre de la porte-fenêtre.

Muni d'un double vitrage de qualité, le carreau résista au choc, si ce n'est qu'un éclat d'un centimètre de diamètre environ apparut à l'endroit de l'impact.

Cette fois, David grimpa à son tour sur la chaise dans le but de la rejoindre, sans cesser de lui hurler ordres et menaces. Ce dont Laetitia semblait se foutre éperdument. Elle s'apprêtait à répéter son geste, brandissant le tabouret au-dessus de sa tête lorsque le bruit de la sonnette d'entrée retentit à l'intérieur de leur maison, leur parvenant par la porte-fenêtre restée ouverte. Ils se figèrent l'un et l'autre, avant de se regarder d'un œil ahuri.

— La police ! s'exclama David, se souvenant que Laetitia les avait appelés.

La remarque eut raison de la fureur aveugle de la jeune femme tout en lui apportant l'espoir de pouvoir pénétrer bien vite dans la maison de leurs voisins. Là où, elle en était persuadée, son enfant était séquestré. Elle lâcha le tabouret.

Momentanément rassuré, David lui ordonna de réintégrer leur jardin au plus vite. Puis, constatant qu'elle obtempérait, il sauta à bas de la haie et, sans perdre plus de temps, se dirigea vers le hall d'entrée.

Deux policiers en uniforme se tenaient sur le pas de la porte, un homme et une femme. Le premier arborait fièrement une moustache fournie qui semblait être l'objet d'un soin tout particulier. Il était grand, le teint hâlé, la mâchoire carrée, et ses lunettes de soleil bien remontées sur le nez achevaient de lui donner un petit air à la Tom Selleck, toutefois en moins charismatique. La femme, quant à elle, affichait des mensurations bien moins stéréotypées : elle était grande, mais plutôt bien en chair et toute en rondeurs. Ses cheveux courts et grisonnants trahissaient le peu de temps qu'elle consacrait à sa féminité.

— Lieutenants Chapuy et Delaunoy, déclara l'homme sans que David saisisse lequel était qui, ce dont il ne se préoccupa d'ailleurs pas. C'est vous qui avez appelé au sujet d'une disparition d'enfant ?

David acquiesça d'un mouvement de tête.

— Entrez.

Les deux policiers s'exécutèrent et pénétrèrent dans le hall au moment même où Laetitia apparaissait à son tour, arrivant de la cuisine, les vêtements en désordre et les cheveux en bataille.

— Dieu soit loué, vous êtes là ! s'exclama-t-elle aussitôt. Mon fils est retenu prisonnier chez les voisins, il est en danger ! Il faut absolument défoncer la porte, la voisine refuse d'ouvrir !

— Doucement, doucement ! tempéra la femme d'un ton ferme. Nous avons avant tout besoin de rassembler le plus grand nombre d'informations, d'abord sur l'enfant lui-même, ensuite sur les circonstances de sa disparition.

Désappointée par ce qu'elle considérait comme une perte de temps, Laetitia s'apprêtait à protester lorsque David lui intima le silence.

— Maintenant, tu te tais et tu me laisses expliquer la situation ! Nous n'avons aucune preuve que Milo se trouve bien chez Tiphaine et Sylvain.

— Milo, c'est l'enfant en question ? s'enquit la policière.

— C'est mon fils, il a 7 ans et il a été kidnappé par les voisins ! répliqua Laetitia d'un ton qui trahissait la piètre opinion qu'elle se faisait de leur efficacité.

— Nous allons vous demander de vous calmer, madame, intervint Tom Selleck à son tour. Nous ne ferons rien sans avoir tous les éléments en main ; il est donc dans votre intérêt de reprendre possession de vos moyens et de nous expliquer en détail ce qui s'est passé et depuis combien de temps votre fils a disparu. Plus vite ce sera fait, plus vite nous pourrons lancer les recherches.

— Nous serons mieux dans la salle à manger, proposa David.

Il invita les deux agents à prendre place autour de la table.

Laetitia les suivit, rongeant son frein au prix d'un effort surhumain.

Une fois qu'ils furent tous installés, la jeune femme raconta pour la deuxième fois la façon dont les choses s'étaient déroulées. Puis David résuma l'historique des relations qu'ils entretenaient avec leurs voisins ainsi que les raisons pour lesquelles Laetitia était persuadée de l'implication de Tiphaine dans l'affaire. Durant leurs récits, les deux policiers alternèrent prises de notes et demandes de précisions.

— Avez-vous déjà effectué une recherche dans le quartier, interrogé les autres voisins, les commerçants ou les passants ?

David et Laetitia répondirent par la négative.

— Nous allons commencer par là, déclara Tom Selleck en se levant. Pouvez-vous nous fournir une photo de votre fils ?

D'un geste de la main, la policière lui réclama quelques instants.

— Partagez-vous les soupçons de votre femme vis-à-vis de vos voisins ? s'enquit-elle encore auprès de David.

Celui-ci jeta un coup d'œil à Laetitia qui, de son côté, posa sur lui un regard lourd de menaces. Il savait déjà que, s'il ne la soutenait pas, elle le prendrait comme une trahison.

— Disons que je me méfie d'elle, en effet, répondit-il prudemment. Maintenant, c'est vrai que je ne la crois pas capable d'une telle ignominie.

Laetitia émit un gloussement plein d'ironie et détourna les yeux sans cacher sa rancœur. Les deux policiers ne firent aucun commentaire, se concentrant plutôt sur les informations dont ils avaient besoin :

— Avez-vous sonné chez eux ?

— Personne ne répond, se dépêcha de répondre David qui estimait préférable de passer sous silence l'intrusion de sa femme dans le jardin des Geniot.

— Pas folle, la guêpe ! ricana Laetitia au comble de l'exaspération.

Personne ne releva.

— Votre fils a-t-il des amis, des connaissances, un endroit particulier où il aurait pu se rendre de sa propre initiative sans vous en avertir ?

— Il n'a que 7 ans ! s'exclama Laetitia d'une voix cassée par un sanglot. Quand comprendrez-vous que le temps presse et que pendant que nous sommes là à parler pour ne rien dire, Milo est en danger à quelques mètres à peine de nous, là, juste derrière ce mur...

— Calmez-vous, madame, l'enjoignit la policière cette fois avec douceur. Je peux vous assurer que nous sommes en train de tout mettre en œuvre pour retrouver rapidement votre petit garçon.

Et comme pour appuyer ses dires, elle réclama de nouveau une photo puis, pendant que son collègue retournait au véhicule afin de donner par radio le signalement de Milo, elle fit un rapide tour du jardin.

Grâce au témoignage des parents, et compte tenu des circonstances, les lieutenants Delaunoy et Chapuy étaient rapidement parvenus à émettre deux hypothèses : soit Laetitia avait raison et Milo était en effet passé dans le jardin voisin et se trouvait dans la maison mitoyenne, soit il était sorti de lui-même de chez lui et, pour une raison inconnue, devait se balader quelque part dans les rues de la ville sans avoir jugé bon d'en informer ses parents. Manifestement, les deux policiers avaient écarté l'éventualité d'un enlèvement criminel : le jardin n'étant ni visible ni accessible de la rue, il était fort peu probable qu'un inconnu se soit introduit dans la maison, au moment précis où Laetitia se trouvait à l'étage, l'ait traversée jusqu'au bout du jardin sans se faire remarquer, se soit saisi de l'enfant pour ensuite disparaître avec lui.

Comme la policière n'avait rien trouvé de probant dans le jardin et que son collègue avait achevé de diffuser le signalement de l'enfant, ils commencèrent par aller sonner à la porte de Tiphaine et Sylvain avec, bien entendu, David et Laetitia sur les talons.

255

Après avoir appuyé de manière insistante sur la sonnette, Tom Selleck tambourina à la porte.

— C'est la police, veuillez ouvrir, s'il vous plaît ! cria-t-il d'une voix autoritaire.

Personne ne se manifesta.

— On peut passer par l'arrière, les informa Laetitia.

— Passer par l'arrière ? s'étonna Tom Selleck. Pour quoi faire ?

— Pour entrer dans la maison et perquisitionner ! lâcha-t-elle comme s'il s'agissait d'une évidence.

— Il n'est pas encore question d'entrer dans la maison, madame, se contenta-t-il de répondre.

Et devant l'expression catastrophée de la jeune femme, il poursuivit :

— Les perquisitions d'un domicile privé ne peuvent se faire que dans le cadre d'une enquête préliminaire, d'un flagrant délit ou d'une commission rogatoire. Nous ne sommes dans aucun de ces trois cas.

— Vous n'allez rien faire, alors ?

— Nous allons tout faire, madame... dans la légalité.

Laetitia crut défaillir. Elle tourna vers David un regard à la fois dévasté et accusateur, le considérant clairement comme responsable des agissements de la police et des lois qui les régissent. Alors, comme si cette ultime entrave à son besoin d'agir avait brisé quelque chose en elle, la jeune femme se jeta contre la porte des Geniot qu'elle se mit à marteler de ses poings tout en hurlant injures et menaces à l'adresse de Typhaine, paroles de réconfort et promesses de libération à celle de Milo.

De nouveau, David dut intervenir pour tenter de calmer sa femme. Mais celle-ci le rejetait désormais au même titre que n'importe qui d'autre. Éperdue de douleur, égarée au plus profond de ses certitudes, celles que son fils était bien là, à quelques mètres à peine, juste derrière cette porte, elle éprouvait la plus effroyable solitude et maudissait le monde entier, cause de tous ses malheurs.

David, qui l'avait saisie à bras-le-corps, l'éloignait sans pitié de la porte tandis qu'elle continuait de se débattre telle une furie, hurlant et vociférant sans faiblir. La policière essayait elle aussi de la raisonner, en vain : comme prise de folie, Laetitia semblait sourde à toute tentative d'apaisement.

— Regarde ! l'enjoignit soudain David en voulant attirer son attention.

La tenant fermement par les poignets, il voulut la faire pivoter tout en la maintenant contre lui pour pouvoir attirer son regard... Peine perdue, la jeune femme n'écoutait rien ni personne, à tel point qu'il dut la secouer violemment afin de la faire taire :

— Regarde bon sang ! vociféra-t-il encore lorsque, plus stupéfaite que blessée, Laetitia se tut enfin.

Et, suivant la direction que lui indiquait David, elle aperçut tout au bout de la rue la silhouette de Tiphaine qui, de toute évidence, rentrait chez elle.

Chapitre 48

Si Laetitia était abasourdie d'apercevoir Tiphaine marchant d'un pas tranquille sur le trottoir, celle-ci fut encore plus surprise de découvrir ses voisins flanqués de deux policiers juste devant chez elle. Son apparition eut le bénéfice de calmer instantanément Laetitia qui, s'échappant de l'emprise de David, courut aussitôt vers elle.

— Qu'est-ce que tu as fait de mon fils ? l'agressa-t-elle dès qu'elle fut à portée de voix.

David et les deux lieutenants accouraient sur ses talons. David la saisit par le bras, la suppliant de laisser la police faire son boulot. Il l'attira dans la direction opposée tandis que Tom Selleck et son équipière abordaient Tiphaine qui, interdite, les regardait sans cacher sa surprise.

De loin, David et Laetitia les virent parlementer. Tiphaine secoua la tête à plusieurs reprises, semblait répondre aux questions par phrases courtes, quelques mots accompagnés de mouvements de tête ou de haussements d'épaules. Puis tous trois se dirigèrent vers la maison des Geniot. Alors que Tiphaine introduisait sa clé dans la serrure, David et Laetitia les rejoignirent en quelques pas.

— Je vous laisse fouiller la maison, mais il est hors de question que cette dingue mette un pied chez moi, déclara-t-elle en interrompant son geste.

La policière se tourna aussitôt vers Laetitia afin de ne pas lui laisser le temps de répliquer :

— Mme Geniot nous autorise à pénétrer dans sa maison, ce à quoi elle n'est absolument pas obligée. Le lieutenant Delaunoy et moi-même, nous allons donc jeter un œil, mais je vous demanderais de nous attendre à l'extérieur.

David comprit ainsi que Tom Selleck était Delaunoy et que sa collègue s'appelait Chapuy. Laetitia s'apprêtait à répliquer quand cette dernière l'interrompit d'un geste impérieux.

— Sans faire d'histoire ! ajouta-t-elle sèchement.

La jeune femme se tut, l'agent Chapuy reprit sa position initiale et Tiphaine poursuivit son tour de clé. La porte s'ouvrit, elle s'effaça pour laisser entrer en premier les deux policiers à l'intérieur de la maison.

Juste avant de refermer la porte, elle gratifia Laetitia d'un regard empreint d'une insondable pitié.

David et sa femme patientèrent une bonne vingtaine de minutes, assis sur le perron de leur maison. Vingt minutes durant lesquelles ils n'échangèrent que peu de mots, chacun blessé par l'attitude de l'autre et rongés par un sentiment de solitude dont ils se tenaient mutuellement pour responsables.

— Il n'y est pas... murmura David sur un ton de reproche.

— S'il n'y est pas, c'est qu'elle a eu le temps de l'emmener ailleurs !

Cette dernière réflexion eut raison de la maîtrise de David.

— Tu deviens complètement folle, ma pauvre ! lâcha-t-il entre ses dents. Et tu nous fais perdre de précieuses minutes pour chercher Milo là où il se trouve vraiment.

— Ah oui ? Et où est-il, selon toi ?

La porte des Geniot s'ouvrit soudain et les deux policiers apparurent, saluant Tiphaine tout en la remerciant d'une poignée de main.

— Pas dans la maison de Tiphaine et Sylvain, en tout cas, répondit David avec amertume.

Il se leva et, sans attendre sa femme, marcha à la rencontre de Chapuy et Delaunoy. Ceux-ci lui firent un bref compte rendu de leur visite. En résumé, Tiphaine était mise hors de cause dans la disparition de Milo, pour la bonne et simple raison qu'elle avait quitté son domicile tôt le matin, en compagnie de son mari, et que tous deux s'étaient rendus à leur lieu de travail respectif. La plupart de leurs collègues pourraient confirmer leur présence durant toute la matinée, ce que les agents allaient évidemment vérifier mais dont ils ne semblaient pas douter. Par acquit de conscience, ils avaient fait un tour minutieux de la maison et du jardin et, comme ils s'y étaient attendus, leurs recherches étaient restées vaines.

David se tourna vers Laetitia qui n'avait pas bougé du perron.

— On va peut-être pouvoir commencer à rechercher sérieusement notre fils, maintenant ? lança-t-il sans cacher son exaspération.

Laetitia ne réagit pas. Elle demeurait prostrée, les genoux repliés sur sa poitrine, fixant un point au loin qui semblait n'exister que pour elle.

— OK ! déclara le lieutenant Delaunoy, estimant qu'ils avaient assez perdu de temps. On fait un rapide tour du quartier, on interroge les passants, les commerçants et les autres voisins.

La porte des Geniot se rouvrit et Tiphaine, bouleversée, apparut.

— Je veux participer aux recherches ! déclara-t-elle d'une voix fébrile.

— Toutes les aides sont les bienvenues, répondit le policier.

Puis il consulta sa montre avant d'ajouter :

— Dans un quart d'heure, si le petit n'est pas réapparu, on lance un avis de recherche.

L'agent Chapuy hocha la tête et se dirigea vers Laetitia, toujours assise sur le perron.

— Madame, si vous voulez retrouver votre enfant le plus vite possible, nous avons besoin de vous, murmura-t-elle avec douceur. Je sais combien ces moments sont difficiles à vivre, mais rester assise sans rien faire ne fera pas avancer les choses. Le meilleur moyen de le...

Le bruit crachotant du talkie-walkie de l'agent Delaunoy attira son attention. Celui-ci s'en saisit, échangea quelques mots avec une voix assourdie et nasillarde puis...

— Un enfant de sexe masculin d'environ 7 ans vient d'être retrouvé se déplaçant seul, rue du Marché-aux-Poissons, à un kilomètre d'ici ! déclara-t-il en élevant la voix.

Laetitia, David et Tiphaine le rejoignirent en un quart de seconde. Sans perdre un instant, il s'adressa à son correspondant :

— Êtes-vous en mesure de me donner son identité ?

La réponse mit peu de temps à jaillir de l'appareil, et tous entendirent distinctement :

— Milo Brunelle ! Il s'appelle Milo Brunelle.

Un quart d'heure plus tard, Laetitia serrait son fils dans ses bras.

Chapitre 49

La vie d'aujourd'hui, c'est plus comme avant. Avant c'était mieux.

C'était plus cool.

Il y avait Maxime, mais pas que ça. Déjà Tatiphaine et Sylvain s'entendaient bien avec papa et maman. Et ça, c'était chouette. Parce que pendant qu'ils rigolaient tous ensemble, ils s'occupaient pas trop de nous.

Maxime et moi.

C'est pas qu'on pouvait faire toutes les bêtises qu'on voulait, mais il y en a certaines qu'ils ont jamais sues. Comme la fois où on a fait des prouts sur les oreillers de papa et maman. Qu'est-ce qu'on s'est marrés ! Nos parents étaient en bas, ils croyaient qu'on était dans ma chambre en train de jouer sagement... Mais en fait on était dans la chambre de papa et maman.

Au début, on se battait sur le grand lit, c'était plus pratique vu qu'on avait toute la place qu'on voulait sans risquer de tomber par terre... Et puis Maxime a lâché un pet. Ça nous a fait tellement rire que j'ai poussé à l'intérieur de mon ventre comme quand on est au petit coin pour la grosse commission et j'ai pété à mon tour. J'étais assis sur le lit et j'ai dû lever un peu mes fesses pour qu'on entende bien le bruit. Maxime, il pleurait de rire. Et quand il s'est calmé, il m'a expliqué que ce qui le faisait encore plus rire que le pet, c'était parce que je venais de péter sur l'oreiller de mon père. Moi, je m'en étais même pas rendu compte et je me suis mis à rigoler encore plus. Juste d'imaginer mon père mettre sa tête là où je venais de péter, c'était trop drôle. Et comme on s'amusait vachement bien, Maxime a pris l'oreiller de ma mère et il a pété dessus.

On a continué comme ça un petit moment, jusqu'à ce qu'on n'ait plus de pet dans notre derrière, mais on a continué à rire pendant longtemps, surtout quand on a dû descendre pour manger : rien que de voir la tête de ma mère et de mon père qui nous demandaient pourquoi on riait autant, et Tatiphaine et Sylvain qui disaient qu'on était sots, et qu'ils nous regardaient en riant bêtement sans savoir pourquoi nous, on riait...

Oui, la vie avant, c'était mieux.

Maintenant, c'est plus du tout comme ça.

Ma mère ne rigole presque plus, et avec mon père ils n'arrêtent pas de se disputer.

Pareil pour Tatiphaine mais en pire : ma mère ne veut même plus la voir.

Et comme plus personne ne rigole, tout le monde fait attention à tout ce que je fais. Ils n'arrêtent pas de me poser des questions, de m'observer, ça m'énerve !

Et puis, je suis tout seul.

Alors parfois je pense : Maxime, au moins, il ne doit pas supporter tout ça. Au début, je me disais qu'il était un peu bête d'être parti, mais maintenant, je me dis que c'est peut-être mieux de s'en aller. Oh, pas longtemps, juste le temps que maman et Tatiphaine se rabibochent. Peut-être que si je pars un jour ou deux, elles finiront par se réconcilier. Parce que je le sais bien qu'elles se disputent à cause de moi. Ma mère est fâchée contre Tatiphaine parce qu'elle croit que j'ai été malade à cause d'elle.

Moi, je sais bien que non.

C'est parce que j'ai mangé la cassonade jaune que j'ai été malade. J'aurais pas dû, je sais, mais je croyais vraiment que c'était de la cassonade et moi, j'adore ça. La cassonade.

Et comme il n'y avait personne dans la cuisine pour me surveiller, j'en ai goûté une bonne poignée. Après, c'est vrai que j'en ai recraché, parce que c'était dégueulasse, mais j'en avais aussi avalé.

C'est ça qui m'a rendu malade.

Tatiphaine n'y est pour rien.

Alors, j'ai décidé de partir. Juste un jour, peut-être deux.

Et quand je serai revenu, tout le monde sera amis, et on recommencera comme avant.

Sans Maxime, je sais.

Mais un peu comme avant quand même.

Chapitre 50

La fugue de Milo tira la sonnette d'alarme. Non pas celle de Laetitia, qui vrillait déjà à toute volée, mais bien celle de David. Il ne s'agissait pas de Milo, ni même de Tiphaine ou de Sylvain, mais plutôt de Laetitia, qui était responsable selon lui de la balade impromptue de leur fils.

En vérité, David était rongé par une colère intérieure dont il ne parvenait pas à maîtriser les assauts. Sans parvenir à formuler les griefs qu'il imputait à sa femme, il savait au fond de lui que le comportement rétif et soupçonneux de Laetitia, son attitude agressive ainsi que ses réactions excessives étaient les principales causes de la fuite de Milo. Et s'il ne déversa pas sa rage sur elle dès qu'ils prirent congé de la police, c'était uniquement à cause de la présence du petit garçon à qui il voulait épargner une tension supplémentaire. Mais une certitude venait de s'installer dans son esprit, dans son cœur et dans sa conscience : Laetitia devenait néfaste pour Milo.

La fureur le malmena le restant de la journée qu'il consacra à son fils, autant pour lui apporter toute la douceur et le réconfort dont il était capable que pour l'empêcher de rester seul avec sa mère. L'estomac noué et la gorge serrée, il passa l'après-midi et le début de la soirée à éviter au maximum tout contact avec elle, pas vraiment certain de pouvoir se contenir s'il devait lui adresser la parole. Il craignait de provoquer une énième dispute en lui disant ce qu'il pensait réellement et qu'il gardait pour lui depuis plusieurs jours.

Son délire paranoïaque qui la forçait à croire que Tiphaine s'employait à vouloir supprimer Milo.

L'ambiance détestable que ses soupçons installaient au sein de leur couple et de leur famille.

Le mépris qu'elle affichait lorsqu'il ne partageait pas son opinion, sûre d'avoir raison.

Sans compter ses accusations erronées, ses réactions inconsidérées, son air buté, oui, cet air buté qu'il avait parfois envie d'effacer d'une gifle, menant une guerre sans merci contre les démons rescapés d'un passé qui, aujourd'hui plus que jamais, le taraudaient d'un besoin de vengeance plutôt encombrant.

David lui en voulait. Il ne la reconnaissait plus, il doutait d'elle, il ne la comprenait plus. Pire, il s'en méfiait. Et déjà la perspective de lui laisser Milo le lendemain lorsqu'il partirait travailler renforçait l'hostilité qu'il éprouvait envers elle.

— Tu me fuis ? aboya-t-elle après que, d'un mouvement instinctif, David eut fait un pas en arrière pour éviter qu'elle ne l'effleure au moment où elle passait à côté de lui dans la cuisine.

Mâchoire contractée et dents serrées, il prit le parti de ne pas répondre. Il rinça un verre d'eau, le remplit de jus d'orange avant de faire demi-tour pour le porter à Milo qui se trouvait à l'étage, dans sa chambre.

— David, je te parle ! insista-t-elle d'une voix dure en lui emboîtant le pas. Tu me fuis ?

— Laisse-moi tranquille, Laetitia, lui intima-t-il dans un souffle haineux.

La jeune femme s'insurgea aussitôt en éclatant d'un rire offusqué.

— Je rêve !

Mais avant qu'elle n'ait eu le temps d'affûter sa parade verbale, crier à l'injustice, exiger d'être entendue, comprise et soutenue, il se tourna violemment vers elle et l'empêcha d'aller plus loin.

— Non, tu ne rêves pas ! Ton fils vient de faire une fugue parce que sa mère est tellement obnubilée par une menace qui n'existe pas qu'elle est prête à tout détruire autour d'elle.

— C'est faux ! rugit-elle, toutes griffes dehors. C'est toi qui ne veux pas voir la réalité en face.

Mais David n'avait pas l'intention d'écouter ses élucubrations paranoïaques.

— Justement, parlons-en ! cria-t-il encore plus fort pour l'empêcher de prendre le dessus. Qu'est-ce qui se passe, Laetitia ? Vas-y, je t'écoute ! Dis-moi ce qui, selon toi, prouve de manière irréfutable que Tiphaine essaie de tuer Milo !

— Parle plus bas ! lui ordonna-t-elle en baissant la voix d'un seul coup. Milo va t'entendre !

— Ah ! Parce que tu t'inquiètes de ce qu'il peut voir ou entendre, maintenant ? C'est nouveau, ça ! Pourtant, ces derniers temps, il ne m'a pas semblé que tu étais tellement angoissée à l'idée que Milo puisse être atteint par tes délires.

— Tout ça n'a rien d'un délire, David. C'est même terrifiant que tu ne t'en rendes pas compte.

Le sang de David ne fit qu'un tour et la riposte ne se fit pas attendre :

— Ce qui est terrifiant, Laetitia, c'est que toi, tu ne réalises absolument pas que ton trip parano est en train de détruire notre fils à petit feu et que tu t'obstines à soutenir une thèse absurde qui ne repose sur rien du tout... Ça, ça me dépasse !

— Que faut-il que je fasse, alors ? ricana-t-elle, le mors aux dents. Que j'attende tranquillement que cette sorcière le fasse disparaître pour te dire : « Tu vois, j'avais raison ! »

— Tu deviens ridicule.

— Je m'en fous d'être ridicule, hurla-t-elle en perdant toute contenance. Tout ce que je veux, c'est mettre mon fils à l'abri.

Cet accès d'hystérie ne fit que provoquer un sourire affligé chez David.

— Regarde-toi, murmura-t-il d'un ton navré... On dirait une folle.

Laetitia fut tellement surprise par cette réaction qu'elle en fut décontenancée. Le silence qui suivit leur permit de percevoir un mouvement provenant de la cage d'escalier. Tous deux tournèrent la tête et aperçurent Milo debout sur une marche, qui les observait d'un air morose et abattu.

Une chape de béton s'abattit sur les épaules de David : il venait de provoquer exactement ce qu'il s'était promis d'éviter à son fils. Le cœur mortifié et sa rage encore décuplée, il tourna vers Laetitia un regard incendiaire. Celle-ci regardait Milo et des larmes coulaient sur ses joues.

— Milo, mon petit... sanglota-t-elle dans un murmure.

Le menton de l'enfant se mit à trembler, puis il s'enfuit en direction de sa chambre. Laetitia ébaucha le mouvement de le suivre mais David la saisit d'un geste rude par le poignet avant de la forcer à s'immobiliser.

— Tu ne t'approches plus de lui ! articula-t-il en la fixant avec une animosité mal contenue.

Ensuite il desserra son étreinte, et demeura quelques secondes encore sans la lâcher du regard, prêt à la retenir si elle tentait encore de rejoindre Milo. Laetitia resta figée, le visage frappé d'effroi et visiblement incapable de réagir. Alors, David lui jeta un dernier regard menaçant avant de gravir les marches quatre à quatre jusqu'à l'étage.

Restée seule en bas, la jeune femme ne bougea pas d'un pouce, si ce n'est qu'elle sursauta en frémissant lorsque la porte de la chambre de Milo claqua derrière David.

Le silence qui s'abattit ensuite sur elle acheva de l'anéantir.

Chapitre 51

Bien que jour commençât à décliner, la température restait douce. Et même si la fraîcheur automnale s'était fait sentir, Laetitia l'aurait-elle remarqué ? Elle était sortie de la maison comme un automate, avec la sensation éprouvante d'avoir été abandonnée par sa propre existence. Rejetée par les deux êtres qu'elle chérissait le plus au monde. Comme projetée dans un cauchemar dont on tente en vain de s'extirper, où chaque seconde qui passe ressemble à une torture sans fin et l'on se dit qu'on va se réveiller, que ça ne peut pas être réel, que tout va redevenir normal, forcément... Et à chaque seconde, il faut admettre l'évidence : non, on ne s'est pas réveillé, pour la simple raison qu'il ne s'agit pas d'un cauchemar.

C'est pire : c'est la réalité.

Alors la panique vous ressaisit et une fois encore, votre raison tente de dévier sur une autre vérité, de retrouver la bonne fréquence, celle dont il y a quelques instants encore on ne doutait pas. Et bientôt le désespoir de ne pas trouver le moyen de faire marche arrière vous engloutit dans son cercle infernal.

Laetitia marcha longtemps. Épuisée par l'insoutenable tension qu'elle ne cessait d'éprouver, elle tenta néanmoins de retrouver son calme sans pour autant s'empêcher d'espérer que tout ne soit pas perdu. Jamais elle n'avait vu David dans cet état.

Lui qui, habituellement, la protégeait des angoisses que la vie parfois nous impose, lui qui n'avait jamais élevé la voix sur elle, lui qui l'avait toujours soutenue chaque fois qu'elle avait rencontré un obstacle, une épreuve, à commencer par la terrible disparition de ses parents... voilà qu'il devenait l'ennemi dont elle devait se protéger ! Le regard qu'il lui avait lancé juste avant de monter l'escalier lui glaçait le sang rien qu'en y repensant.

Elle s'était sentie en danger.

Elle avait perçu qu'il était capable de lui faire du mal.

Ça ne pouvait pas être réel. C'était forcément un cauchemar.

Mais la seconde suivante, juste après avoir ressenti l'infime soulagement d'avoir trouvé une explication à l'horreur de la situation, l'angoisse reprenait de plus belle, agrippant ses entrailles pour les tordre sous la puissance de sa cruauté.

Pourtant, au fil des minutes, pas après pas, sa raison parvint à surmonter l'effroi.

Lentement, une autre version des faits s'insinua dans son esprit, à laquelle elle s'accrocha : David avait agi sous l'influence d'une peur rétrospective. Il avait relâché la tension et perdu les pédales. Il n'était pas lui-même. On le serait à moins. Elle-même n'avait-elle pas craqué en hurlant comme une possédée alors que Milo se trouvait à quelques mètres à peine ? La réaction de David pouvait se comprendre, elle le réalisait à présent. Il ne pensait pas vraiment ce qu'il disait...

Laetitia s'agrippa à cette idée avec la force du désespoir. Puis, lorsqu'elle parvint à se convaincre que tout cela n'était qu'une dispute normale compte tenu des épreuves qu'ils traversaient tous les deux, elle se prit à espérer une réconciliation, priant le ciel que David parvienne à regarder les choses sous l'angle qu'elle-même était en train de considérer : une fois la colère tombée, dès qu'il prendrait le temps de réfléchir et peut-être même de comprendre, tout rentrerait dans l'ordre.

Sa promenade la mena jusqu'au centre-ville, où les rues animées la surprirent en plein désarroi. Elle avait marché au hasard de ses pensées et fut ahurie de se découvrir si loin de chez elle. Comme elle avait retrouvé un semblant de calme, elle était pressée de rentrer, pour renouer le dialogue avec David, lui faire part de ses réflexions et peut-être même lui demander pardon.

Et puis surtout, pour serrer son fils dans ses bras, le rassurer, lui promettre des lendemains meilleurs, le bercer...

Sa montre indiquait 7 heures du soir. Voilà presque deux heures qu'elle avait quitté la maison, et l'urgence de regagner son domicile la rendait fébrile, le cœur battant, l'esprit en ébullition. Elle voulut prendre un taxi mais elle était partie sans rien emporter, ni sac à main ni manteau. Elle n'avait pas un sou en poche, pas même son portable : impossible de prévenir David ou de prendre les transports en commun à moins de resquiller. Elle était bonne pour rentrer à pied. Compte tenu du fait qu'elle avait fait maints détours au hasard des rues pour arriver jusque-là, elle calcula qu'elle en aurait pour une petite heure de marche.

Pestant contre elle-même autant que contre la situation, elle se mit en route d'un pas rythmé.

Chapitre 52

David et Milo achevaient d'avaler une omelette préparée sur le pouce lorsqu'on sonna à la porte d'entrée.

— C'est maman ? s'enquit le petit garçon plein d'espoir.

— Sans doute... Range les assiettes dans l'évier, fiston, et attends-moi là.

Il essuya ses mains sur le torchon de cuisine puis se dirigea vers le hall. Partagé entre le désir de voir Laetitia rentrer à la maison et la colère qui le tenaillait toujours, il ne put s'empêcher de ressentir une certaine appréhension : dans quel état d'esprit se trouvait-elle ? Tout ce qu'il espérait, c'est qu'elle se soit suffisamment calmée pour ne pas étaler leur discorde devant Milo.

Lorsqu'il ouvrit la porte, il découvrit deux hommes sur le seuil, dont l'un demanda d'une voix ferme et posée :

— M. David Brunelle ?

Ils étaient tous deux âgés d'une quarantaine d'années, l'un vêtu d'un costume de velours côtelé, l'autre d'une veste en cuir. L'étonnement laissa David sans voix pendant quelques courtes secondes. Il hocha la tête, fronça les sourcils et déglutit.

— C'est pour quoi ? s'enquit-il ensuite.

— Lieutenant Petraninchi, se présenta en exhibant sa carte celui qui portait la veste en cuir. Nous enquêtons sur le meurtre d'Ernest Wilmot. Veuillez nous laisser entrer, monsieur.

Bien que le décès d'Ernest lui eût semblé suspect, la confirmation de ses doutes le laissa pantois.

— Le meurtre ? s'exclama-t-il sans cacher sa stupéfaction.

Les deux hommes entrèrent dans la maison tandis que le second, celui qui n'avait pas encore parlé, lui tendit une feuille de papier dont David, tout en s'écartant pour les laisser passer, s'empara d'un geste machinal.

— Nous agissons sous couvert d'une commission rogatoire pour perquisitionner votre domicile. Je vous demanderais de ne pas faire d'his…

L'apparition de Milo le prit au dépourvu. Le petit garçon se tenait dans l'embrasure de la porte qui menait à la cuisine, considérant les deux intrus d'un œil farouche.

— Salut, bonhomme, lança le lieutenant Petraninchi. Comment tu t'appelles ?

L'enfant ne répondit pas et se dépêcha de rejoindre son père.

— C'est bien, fiston, ajouta l'autre policier. Reste près de ton papa, tout va bien se passer.

Levant sur David un regard entendu, il s'assura et promit en même temps que la présence de l'enfant leur éviterait tout débordement. Puis ils pénétrèrent dans la cuisine.

David, flanqué de Milo, leur emboîta le pas.

La perquisition fut minutieuse : les placards, les tiroirs, le frigo furent fouillés de fond en comble ; chaque boîte, chaque pot, chaque récipient ouvert et reniflé, sans oublier le dessous de l'évier, la poubelle et les étagères de rangement.

— Vous vivez seul ici avec votre fils ?

— Non. Ma femme vit avec nous.

— Où se trouve-t-elle pour l'instant ?

— Elle...

David jeta un coup d'œil embarrassé à Milo : de toute évidence, il hésitait sur l'explication à fournir.

— Nous nous sommes disputés, déclara-t-il enfin, optant pour la vérité. Elle est partie faire un tour, histoire de se calmer. Je pensais d'ailleurs que c'était elle quand... quand vous avez sonné. Je suppose qu'elle ne va pas tarder à rentrer.

— À propos de quoi vous disputiez-vous ? interrogea le lieutenant Petraninchi sans interrompre ses recherches.

David, pris de court, mit quelques secondes avant de répondre :

— Disons que ce n'est pas une très bonne période pour nous...

L'autre officier dévisagea David, baissa les yeux vers Milo puis hocha la tête d'un air entendu.

Ils passèrent ensuite au salon et reprirent leurs fouilles.

— Vous cherchez quoi, au juste ? s'enquit David au bout d'un moment.

— Pouvez-vous éclairer le jardin ? demanda le lieutenant Petraninchi pour toute réponse.

David se dirigea vers l'interrupteur qu'il actionna, éclairant aussitôt la terrasse, tandis que l'officier faisait déjà coulisser la porte-fenêtre avant de faire quelques pas au-dehors. Son collègue entreprit quant à lui de fouiller la salle à manger. Les deux hommes agissaient avec méthode, dans le calme et sans précipitation.

Milo et son père demeurèrent dans le salon. Bientôt, David vit Petraninchi s'emparer d'une lampe de poche accrochée à sa ceinture et, tout en s'éloignant vers le fond du jardin, il balaya l'obscurité de son faisceau lumineux.

Profitant de ce qu'ils étaient seuls dans la pièce, Milo chuchota :

— Papa, pourquoi la police est là ?

— Ne t'inquiète pas, mon grand. Tout va bien.

— Elle va revenir quand, maman ?

— Bientôt.

David aurait voulu être plus à même de rassurer son fils, mais l'inquiétude lui nouait les tripes et l'effort qu'il déployait pour conserver son calme occupait toutes ses pensées. Sans compter qu'une foule de questions se pressaient dans son esprit, auxquelles la peur de trahir son angoisse l'empêchait de chercher une réponse : de quoi Ernest était-il véritablement mort ? Pourquoi cette perquisition ? Pourquoi chez lui ? Figurait-il parmi les suspects ? Son passé de délinquant toxicomane y était-il pour quelque chose ? Ou bien était-ce la procédure normale compte tenu du fait qu'il était parmi les dernières personnes à avoir vu Ernest vivant ? Mais alors, pour quelle raison ne l'avait-on pas convoqué à la préfecture de police comme cela avait été le cas dès le lendemain du décès du vieil homme ? Les policiers cherchaient-ils quelque chose de bien précis, ou l'absence d'élément les faisait-elle miser sur la chance ?

Les réflexions de David furent bientôt interrompues par la voix de Petraninchi qui, de retour sur la terrasse, interpella son collègue :

— Bonaud ! Viens voir par ici !

Celui-ci déboucha de la salle à manger et rejoignit Petraninchi. Le cœur de David s'emballa dans sa poitrine. Qu'avait-il trouvé ? Il emboîta aussitôt le pas de Bonaud non sans ordonner à son fils de l'attendre là quelques instants.

Pourtant l'enfant semblait vouloir le suivre partout, contraignant David à revenir sur ses pas.

— Attends-moi là, mon grand... J'arrive tout de suite !

— Ne me laisse pas tout seul, papa !

L'angoisse qui transparaissait de la voix du petit garçon le bouleversa. Alors, tournant la tête vers l'endroit où se trouvaient les deux policiers, il décida de rester auprès de son fils. Quelques instants plus tard, Petraninchi et Bonaud réapparaissaient.

— Que se passe-t-il ? demanda-t-il d'une voix trop nerveuse à son goût.

— Tout va bien, monsieur.

Puis, comme si le sujet était clos, ils poursuivirent la perquisition, fouillant l'étage, la cave et même le taxi de David. Cela leur prit encore une bonne vingtaine de minutes, au terme desquelles le lieutenant Petraninchi l'entraîna à l'écart.

— Veuillez nous suivre à la préfecture, monsieur Brunelle. Nous avons quelques questions à vous poser.

— J'ai déjà tout dit à votre collègue, le lendemain du drame... protesta sans conviction David.

Petraninchi posa sur lui un regard insistant et légèrement menaçant.

— Monsieur... Ne m'obligez pas à sortir les menottes devant votre fils, chuchota-t-il d'un ton sec. Pouvez-vous le confier à quelqu'un de votre entourage en attendant le retour de votre femme ?

Affolé par la tournure des événements, David secoua la tête, incapable toutefois de mettre de l'ordre dans ses pensées.

— Dans le cas contraire, il va falloir l'emmener avec nous, poursuivit l'officier, mais je doute que cette solution soit la meilleure, pour lui comme pour vous. Vous n'avez vraiment personne ?

— Non...

— Pas de parent, pas d'ami, pas de voisin ?

Les voisins... David déglutit, la bouche sèche. Bien sûr, il y avait toujours la solution de le confier à

Tiphaine et Sylvain, mais compte tenu des circonstances, ce choix était-il judicieux ? Le temps pressait, Petraninchi ne le lâchait pas des yeux, paralysant en lui toute réflexion.

Non, pas chez Tiphaine et Sylvain, Laetitia ne le lui pardonnerait jamais.

Restait l'autre possibilité, celle d'emmener Milo dans les bureaux de la police judiciaire et le faire patienter dans une de ces salles impersonnelles, froides, austères... terrifiantes pour un petit garçon de 7 ans sachant que son père se trouve quelque part à côté, en train de se faire interroger. Les souvenirs glauques de son adolescence submergèrent David, les heures d'interrogatoire, la pression psychologique des policiers, l'angoisse, le doute, la haine... La violence aussi, parfois... Les images se pressaient dans son esprit, les sons, les odeurs, tout ce que, dans ses pires cauchemars, il avait espéré ne jamais avoir à revivre...

Bouleversé par l'idée d'imposer cette épreuve à Milo, David sut que lui-même n'aurait pas la force d'y faire face sachant que son fils serait là, dans une pièce à proximité. L'enfant était son talon d'Achille, sa seule présence le rendait vulnérable. S'il voulait reprendre possession de ses moyens, il était urgent de mettre son petit garçon en lieu sûr. Du moins opter pour la solution la moins mauvaise.

— Il y a les voisins, déclara-t-il dans un murmure.

— Très bien. Allons-y.

Dans un état second, David retourna auprès de Milo et, s'agenouillant à sa hauteur, lui expliqua en quelques mots ce qu'il attendait de lui.

— Écoute, mon grand, je dois partir avec les policiers. Ce ne sera pas long, je serai vite de retour. Je vais te conduire chez Tatiphaine et tu attendras là-bas que maman vienne te chercher. D'accord ?

— Je veux venir avec toi, papa, supplia l'enfant, la gorge nouée.

— Tu ne peux pas, mon cœur... Ce n'est pas un endroit pour toi... Tu seras mieux chez Tatiphaine.

Le petit garçon baissa la tête et des larmes se mirent à couleur sur ses joues. David crut que son cœur allait exploser. Il prit son fils dans ses bras et le serra.

— Allons-y, M. Brunelle, insista Bonaud qui se tenait juste derrière lui.

David se releva et saisit la main du petit garçon. Puis, il le conduisit chez Tiphaine et Sylvain.

Lorsqu'elle ouvrit la porte, Tiphaine ne put cacher sa surprise : la présence de David sur le pas de sa porte, qui plus est en compagnie de Milo et flanqué de deux inconnus dont elle devina l'hostilité, la laissa sans voix.

— Je n'ai pas le temps de t'expliquer, commença David avant même qu'elle puisse lui poser la moindre question. Je dois m'absenter pour la soirée et Laetitia est partie faire un tour... Elle va bientôt rentrer. En tout cas, je l'espère. Tu peux garder Milo ?

— Bien sûr...

Sylvain apparut derrière Tiphaine, David le salua d'un mouvement de tête. Il hésita avant de poursuivre :

— En fait, Laetitia et moi, on s'est disputé... Elle est partie en claquant la porte. Je ne sais pas quand elle reviendra. Et elle n'est pas au courant de ce qui se passe en ce moment.

— Tout va bien, David ? s'enquit Tiphaine en dévisageant les deux hommes qui se tenaient derrière lui.

— Oui, oui... C'est au sujet de la mort d'Ernest. Rien de grave. Je serai rentré cette nuit. Demain matin au plus tard.

Il avança son bras vers Tiphaine, forçant ainsi Milo qui s'agrippait à sa main à la rejoindre. Celle-ci accueillit le petit garçon avec une sincère tendresse.

David jeta un dernier regard à son fils et se força à lui sourire. Un sourire d'une insondable tristesse.

Juste avant de partir, il prit ses clés de maison et les tendit à Tiphaine :

— Laetitia est partie sur un coup de tête, elle n'a pas pris ses clés... Tu peux guetter son retour, ou mettre un mot sur la porte et l'informer que je t'ai laissé les clés et que Milo est chez toi ?

— Je doute qu'elle en soit ravie...

— Je n'ai pas le choix.

Puis il s'éloigna dans la rue en compagnie des policiers qui l'encadraient pour le mener jusqu'à leur véhicule.

Tiphaine demeura sur le seuil de sa porte et le suivit des yeux jusqu'à ce que la voiture disparaisse en bout de la rue. Alors, baissant les yeux sur Milo, elle lui caressa tendrement la tête.

— Viens, Milo, rentrons, tu vas prendre froid. Tu as mangé ?

L'enfant hocha la tête en signe d'acquiescement. Tiphaine referma la porte derrière elle.

— Je vais te mettre au lit, alors... Va m'attendre en haut, j'arrive tout de suite. Tu peux choisir un livre si tu as envie d'une histoire.

L'enfant se dirigea vers la cage d'escaliers dont il gravit lentement les marches.

Tiphaine échangea un regard à la fois ahuri et victorieux avec Sylvain.

— C'est le moment ou jamais ! lui chuchota-t-elle dès que l'enfant fut suffisamment loin pour ne pas l'entendre. Nous n'aurons jamais de meilleure occasion.

Laetitia arriva chez elle vingt minutes plus tard.

N'ayant en effet pas pris ses clés, elle dut sonner à la porte.

Personne ne vint lui ouvrir.

Chapitre 53

— David ! S'il te plaît ! Ouvre cette porte ! Il faut qu'on parle...

Pour la dixième fois, Laetitia s'évertuait à actionner la clenche de la porte, tentative pourtant inutile puisque celle-ci était fermée à clé. Malgré les coups de sonnette, malgré ceux frappés avec force contre le battant, David semblait sourd à ses supplications. Était-il fâché au point de la laisser dehors toute la nuit ? Elle n'en revenait pas. Quels que soient les griefs qu'il avait contre elle, il ne pouvait tout de même pas l'empêcher de rentrer chez elle !

Abasourdie par cette rancœur qu'elle ne lui connaissait pas, Laetitia cessa bientôt de tambouriner à la porte. La température était tombée en même temps que la nuit, et la jeune femme se mit à grelotter de froid et d'angoisse.

Que se passait-il ?

Comment en étaient-ils arrivés là ?

Depuis la mort de Maxime, sa vie entière se délitait aux quatre coins en un cauchemar qui semblait ne pas avoir de fin. Comme si le petit garçon avait entraîné dans sa chute tout un univers, celui dans lequel elle évoluait depuis tant d'années, essentiel à son existence.

La perte de l'amitié de Tiphaine et Sylvain avait déjà mis à mal un bonheur de plus en plus précaire. Mais sans David, et surtout sans Milo, elle n'était plus rien.

Affolée par une situation qu'elle ne comprenait plus, Laetitia sentit la panique lui broyer les entrailles et, bientôt, elle se mit à sangloter devant la porte désespérément close.

— David, je t'en supplie... Ouvre-moi !

Le silence à l'intérieur de la maison la dévasta. Ce n'était pourtant pas la première fois qu'ils se disputaient, et même si cette querelle-là était plus profonde que les autres, rien ne justifiait qu'elle ne puisse au moins lui parler...

Faisant un effort surhumain pour maîtriser sa détresse, Laetitia ravala ses larmes et se posta devant la fenêtre qui donnait sur la salle à manger. Elle plaça ensuite ses mains en œillère avant de coller son nez contre la vitre et ne perçut aucun mouvement à travers les voilages. Que la pièce fût plongée dans l'obscurité n'avait rien d'exceptionnel : lorsqu'il n'y avait pas d'invités, ils avaient l'habitude de prendre leurs repas dans la cuisine, située à l'arrière de la maison. Pourtant, si David s'y était trouvé, le faible halo de lumière provenant de la pièce aurait dû éclairer l'accès à la salle à manger...

À l'évidence, il n'y avait personne au rez-de-chaussée.

Un vague espoir envahit la jeune femme : la seule explication au silence de David était qu'il fût dans la salle de bains, peut-être même en train de prendre une douche. Par conséquent, il ne pouvait rien entendre, ni la sonnette, ni les coups frappés à la porte, encore moins ses cris.

Reculant aussitôt de quelques pas, elle leva les yeux vers les fenêtres de l'étage. Celle de la salle de bains, à droite, donnait sur la rue... Plongée dans la pénombre, la pièce semblait tout aussi vide que le rez-de-chaussée.

David était-il dans une des deux chambres à coucher, celle de Milo, en train de mettre le petit garçon au lit, ou bien dans la leur ? Quelle que soit sa position dans la maison, il devait forcément l'entendre ! Laetitia replongea dans le désespoir : si son homme ne lui ouvrait pas la porte, c'est qu'il refusait de le faire. Seule dans la nuit, à peine couverte d'un pull et d'un pantalon de toile qui ne la protégeaient en rien du froid automnal, sans papiers d'identité, sans argent ni carte bancaire, elle se sentit désemparée. Elle rejoignit la porte qu'elle venait de quitter, contre laquelle elle se laissa glisser, donnant libre cours à son épouvante, celle de se sentir abandonnée de tous, perdue, délaissée, reniée... Puis, ramenant contre elle ses genoux qu'elle enlaça de ses bras, elle éclata en sanglots.

— Laetitia ? Qu'est-ce que tu fais là ?

La jeune femme tressaillit et, levant la tête, découvrit par-delà ses larmes la silhouette de Tiphaine. Celle-ci se rapprocha puis, s'agenouillant prudemment à hauteur de sa voisine, lui demanda :

— Tu n'as pas tes clés ?

Trop épuisée par ses émotions pour rejeter celle qu'elle considérait aujourd'hui comme sa pire ennemie, Laetitia se contenta de secouer la tête.

— Tu dois mourir de froid ! poursuivit Tiphaine, compatissante. Comment se fait-il que David soit parti en te laissant comme ça ?

Les sanglots de Laetitia s'interrompirent net. Elle releva la tête et dévisagea Tiphaine d'un regard ahuri.

— David est parti ? réussit-elle à murmurer d'une voix brisée.

— Oui, répondit Tiphaine sur le ton de l'évidence. Ils sont partis il y a une bonne heure, peut-être même un peu plus...

— Il... Il est parti avec Milo ?

Face aux questions interloquées de la jeune femme, Tiphaine feignit la surprise.

— Laetitia... Que se passe-t-il ? J'ai vu David embarquer Milo dans son taxi et mettre deux valises dans le coffre. J'ai pensé... J'étais persuadée que vous partiez en voyage, sans doute à cause de moi... Que vous vouliez mettre de la distance entre nous... Apparemment, je me suis trompée !

Plus encore que le refus obstiné de David de lui ouvrir la porte, l'idée qu'il soit parti en emmenant leur fils pour le séparer d'elle acheva d'anéantir Laetitia. Elle hoqueta de douleur et crut que son cœur allait éclater tant la souffrance opprimait sa poitrine. Si David était furieux contre elle au point de vouloir lui enlever son enfant, c'est que tout était perdu.

— Il ne faut pas rester là, Laetitia, tu vas attraper la mort ! continua Tiphaine avec une douceur affectée.

Attraper la mort ? Quelle importance...

— Allez, viens ! l'implora-t-elle sans se départir de sa gentillesse. Viens te réchauffer chez moi. Ensuite, si ta porte-fenêtre n'est pas fermée à clé, tu pourras rentrer chez toi en passant par le jardin.

Laetitia ne réagit pas. David était parti, il avait emmené Milo. Le reste n'avait plus aucun intérêt.

Constatant qu'elle demeurait sans réaction, Tiphaine entreprit de redresser la jeune femme. Elle la saisit sous les bras et la força à se relever, s'aidant du battant pour prendre appui. Laetitia se laissa faire, amorphe. Une fois debout, Tiphaine passa rapidement un bras autour de sa taille puis, un pas après l'autre, elles se dirigèrent vers la maison voisine.

Dès qu'elles furent à l'intérieur, Tiphaine referma la porte en la poussant du pied.

Celle-ci claqua dans un sinistre fracas.

Dans le salon des Brunelle, le téléphone retentit quelques minutes plus tard. Au bout de cinq sonneries, le répondeur se déclencha et la voix de Milo résonna dans le silence de la maison. « Vous êtes bien chez nous, on n'est pas là mais vous pouvez laisser un message après le bip sonore. » Alors, la voix furibarde du patron de la société de taxis qui employait David, un certain Roger Forton, exprima sans retenue sa colère : « Brunelle, c'est Forton ! Dis, c'est quoi, ces manières ? Tu te prends pour qui, hein ? Je viens de recevoir un coup de fil de l'avocat d'un de tes clients, il paraît que tu l'as traîné hors du taxi en plein milieu de la course et que tu l'as laissé par terre sur le trottoir. Je te préviens, il porte plainte ! Alors écoute-moi bien, Brunelle : je veux bien attendre d'avoir ta version des faits, mais s'il s'avère que tu l'as en effet viré de ton taxi à coups de pompe dans le cul, et sans avoir achevé ta course en plus, je te vire ! Je veux pas de racaille chez moi. Alors rappelle-moi fissa ! »

Chapitre 54

Dès son arrivée à la préfecture de police, et après la prise des empreintes et la lecture de ses droits, David fut interrogé sur les relations qu'il entretenait avec Ernest. Connaissant les rouages de la machine judiciaire, il garda son calme et répondit aux questions qu'on lui posait. Durant le trajet, il s'était astreint à analyser la situation et à reprendre possession de ses moyens : n'ayant rien à voir avec la mort d'Ernest – ni directement, ni indirectement –, il n'avait rien à craindre. Cela seul comptait.

Au fil de l'interrogatoire, il comprit bien vite que la crise cardiaque de son vieil ami était due à un empoisonnement. Ainsi, Laetitia avait vu juste : le décès d'Ernest était tout sauf naturel.

De toute évidence, les policiers cherchaient un mobile, raison pour laquelle ils concentraient leurs investigations autour des liens qui avaient autrefois uni les deux hommes. Son passé de délinquant toxicomane ne jouait pas en sa faveur, c'était un fait. Mais ce qui commença à inquiéter David, c'est qu'il détecta chez eux une assurance certaine quant aux preuves dont ils disposaient et qui, visiblement, l'incriminaient d'une façon ou d'une autre.

Du bluff, songea-t-il. Il était sûr de ne posséder aucune substance illicite, encore moins un quelconque poison capable de provoquer une crise cardiaque.

— Tu as bien failli réussir ton coup ! lui asséna le lieutenant Bonaud. Le médecin légiste était à deux doigts de passer à côté. Ce que tu ne savais pas, c'est qu'avec la merde que tu lui as fait bouffer, il a eu une insuffisance rénale et, ça, ça ne collait pas avec le diagnostic. C'est con, hein !

Conscient de son manque de connaissance du dossier, David exigea un avocat. Il savait d'expérience que, selon la phrase consacrée, tout ce qu'il dirait pourrait être retenu contre lui, et que son ignorance pouvait l'amener à évoquer des choses dont l'interprétation lui nuirait.

Comme il n'en connaissait aucun, on désigna un avocat commis d'office.

En attendant l'arrivée de l'homme de loi, on l'enferma dans une cellule.

Une fois seul, il prit le temps de dominer l'angoisse qui avait recommencé à le tenailler et de faire le point. Si les flics l'avaient abreuvé de questions, il s'en posait tout autant. Qui avait eu intérêt à tuer Ernest ? Le vieil homme avait pris sa retraite depuis quelques années, et jamais il ne lui avait fait part d'un différend avec l'un ou l'autre des ex-détenus dont il s'était occupé au cours de sa carrière. Certes, Ernest était peu enclin aux confidences, et qu'il s'épanche sur d'éventuels soucis, fussent-ils source de danger pour lui, n'était pas sa nature. Mais pourquoi le soupçonnait-on, lui, David, et pas un autre ? Était-ce dû au fait que son ami avait passé l'après-midi chez lui, ou bien à d'autres éléments dont il ignorait la teneur et qui l'accusaient plus particulièrement ?

« Ce que tu ne savais pas, c'est qu'avec la merde que tu lui as fait bouffer, il a eu une insuffisance rénale et, ça, ça ne collait pas avec le diagnostic. »

287

Il en déduisit que Ernest avait ingurgité un poison qui lui avait été fatal. Il n'avait donc pas été victime d'une agression au cours de laquelle on lui avait fait une injection... Mais quel était ce poison qui avait à la fois provoqué une crise cardiaque et une insuffisance rénale ? Comment les policiers avaient-ils pu en retrouver chez lui alors qu'il ne possédait que quelques médicaments dont aucun, à sa connaissance, n'avait pu entraîner la mort de qui que ce fût ? Privé d'information, David était bien en peine de répondre.

Tournant et retournant toutes ces questions dans sa tête, il sentit son calme l'abandonner tout à fait. Il aurait voulu pouvoir parler à Laetitia, l'informer de ce qui se passait, lui faire part des quelques éléments qu'il avait réussi à glaner et lui demander de faire des recherches sur Internet afin d'en savoir plus. En trouvant l'origine du poison, peut-être parviendrait-il à en savoir plus sur le meurtrier ?

La porte de sa cellule s'ouvrit, mettant fin à ses tergiversations. Un jeune homme vêtu d'un complet gris sur une chemise blanche au col déboutonné pénétra dans la pièce et se présenta :

— Alexis Renard, avocat à la cour. Je vous représenterai durant votre garde à vue. Vous pouvez m'appeler Maître Renard.

— C'est une blague ? ne put s'empêcher de glousser David malgré la gravité de sa situation.

— C'est mon véritable nom, répliqua aussitôt l'homme de loi qui semblait aguerri aux plaisanteries sur son patronyme. Gagnons du temps si vous le voulez bien : si mon nom précédé de ma fonction peut faire sourire, sachez que je suis aussi rusé que mon homonyme dans la fable de notre ami Jean. Ce dont mes clients ne se sont jamais plaints.

Il était jeune, certes, mais sa repartie et son assurance tranquillisèrent un peu David.

— Nous avons une demi-heure d'entretien seul à seul avant que reprenne l'interrogatoire. J'ai rapidement parcouru votre dossier, poursuivit l'avocat sans perdre de temps, ajoutant ainsi à ses qualités celle de l'efficacité. Il me faut maintenant votre version des faits. Je vous le dis tout de suite, les charges portées contre vous sont maigres, pour ne pas dire inexistantes. J'ai même cru à une plaisanterie ! Ils ont joué le tout pour le tout en espérant que la pression vous ferait avouer... Vous serez sorti d'ici dans l'heure.

— Et c'est quoi, les charges ?

Maître Renard esquissa un sourire navré.

— On vous reproche de posséder des digitales en pot sur votre terrasse.

— Hein ?

— Le médecin légiste a retrouvé des traces de digitoxine dans l'organisme de la victime.

— De la digitoxine ?

— C'est un puissant cardiotonique extrait de la digitale pourpre dont apparemment vous possédez quelques beaux spécimens et dont l'action diurétique peut détériorer le débit rénal. Selon le légiste, la forme de digitoxine retrouvée dans l'urine de la victime est suffisamment pure pour conclure à une ingestion directe de la plante.

— C'est du n'importe quoi !

— Je ne vous le fais pas dire... Était-il végétarien ?

— Pardon ?

— Je plaisante.

David resta insensible à l'humour de l'avocat. En apprenant qu'une plante avait causé la mort d'Ernest, son sang se figea dans ses veines et ses cheveux se dressèrent sur sa tête. Des digitales... Ce nom ne lui était pas étranger et, fouillant dans ses souvenirs, il sentit le sol se dérober sous ses pieds. Tiphaine sur le pas de sa porte, tenant dans une main une plante en pot ornée de jolies fleurs pourpres en forme de clochettes, et dans l'autre un paquet cadeau.

« *Ça, c'est pour Laetitia. Ce sont des digitales, des vivaces qu'elle peut replanter dans le jardin, ou laisser en pot sur la terrasse, c'est comme elle veut... On s'en débarrasse au boulot et je n'ai plus de place dans mon jardin. C'est joli et ça fleurit tout l'été.* »

En leur faisant cadeau de la plante, Tiphaine leur avait tout simplement offert la preuve de leur culpabilité.

Il ne connaissait qu'une seule personne capable de transformer une simple fleur en arme redoutable.

Et c'était précisément à cette personne qu'il avait confié son fils une heure auparavant.

Chapitre 55

Recroquevillée sur le canapé de Tiphaine et Sylvain, Laetitia ne cessait de sangloter, incapable de se reprendre.

Comment David avait-il pu faire une chose pareille ? Où avait-il emmené Milo ? Quelles étaient ses intentions ? Comment allait-elle faire pour survivre à l'absence de son fils et de son homme ? Chaque minute qui s'écoulait sans réponse lui paraissait insurmontable, plus encore lorsqu'elle prenait conscience que, cette nuit-là tout au moins, il était peu probable qu'elle ait la moindre nouvelle d'eux : si David avait profité de son absence pour partir, ce n'était pas pour reprendre contact avec elle deux heures à peine après son départ...

Elle se retrouvait à présent chez ses voisins, ceux-là même qui étaient à l'origine de sa descente aux Enfers... Tiphaine s'était installée à ses côtés et tentait d'une voix douce et apaisante de lui redonner espoir.

« Ils vont revenir, ne t'inquiète pas. La colère nous fait parfois faire n'importe quoi, nous sommes bien placées pour le savoir, toutes les deux. La nuit porte conseil et, dès

demain, tu peux être certaine qu'ils seront de retour. Tu peux passer la nuit ici, si tu veux. »

Passer la nuit ici ?

Où ?

Dans le lit de Maxime ?

Impossible !

Et puis... Et puis d'autres images s'imposèrent à l'esprit de Laetitia : celle de son lit, vide et froid, sans David pour l'y accueillir. Celles d'une chambre inoccupée, d'une maison déserte. Celle d'une nuit sans fin. Alors Laetitia sut qu'elle n'aurait pas la force de rentrer chez elle ce soir, ni le courage d'affronter l'absence de Milo et David. À cet instant précis, elle abandonna toute résistance, indifférente à son propre sort.

« Je vais te préparer une tisane, ça t'aidera à dormir un peu. »

Au moment où Tiphaine se levait pour se rendre à la cuisine, Sylvain apparut dans l'embrasure de la porte. Tiphaine l'interrogea d'un regard insistant, auquel il répondit par un hochement de tête à peine perceptible.

Elle quitta alors la pièce, il lui emboîta le pas.

— Qu'est-ce que tu comptes faire ? s'enquit-il d'une voix nerveuse dès qu'ils furent hors d'écoute.

— Ce qui est prévu.

Sylvain se raidit et, mordillant sa lèvre inférieure, s'immobilisa, mal à l'aise. Sans prêter attention à l'embarras de son mari, Tiphaine s'activa dans la cuisine, mit l'eau à chauffer, prépara une tasse, sortit d'un placard un paquet de tisane, ouvrit un tiroir, en extirpa la cuillère à thé qu'elle remplit généreusement d'une décoction à base de menthe, tilleul et verveine. Sylvain, lui, se contenta de rester là sans bouger, suivant d'un œil soucieux les allées et venues de sa femme.

Puis elle ouvrit un autre tiroir duquel elle sortit un tube de Lexomil, le déboucha et en préleva trois comprimés. S'apprêta à le refermer, hésita... En prit un quatrième.

— Va voir ce qu'elle fait ! ordonna-t-elle à Sylvain dont la présence immobile l'irritait.

— Tiphaine...

— Retourne auprès d'elle !

Il soupira avant de s'exécuter. Juste avant qu'il ne quitte la pièce, elle le rappela à l'ordre :

— Ce n'est pas le moment de craquer, Sylvain !

Il se tourna vers elle et la considéra avec gravité.

— On est bien d'accord ? insista-t-elle d'une voix sèche.

— Ne t'inquiète pas.

Puis il alla rejoindre Laetitia dans le salon.

Restée seule dans la cuisine, Tiphaine entreprit de réduire en poudre les quatre cachets de Lexomil qu'elle mit ensuite dans la tasse. À cet instant précis, le sifflement de la bouilloire lui indiqua que l'eau était prête. Elle saisit une manique et empoigna la bouilloire avant de verser le liquide frémissant dans la tasse. La poudre de Lexomil se dilua aussitôt.

Après y avoir immergé la cuillère à thé, elle patienta un long moment. Alors, dans le silence de sa cuisine, Tiphaine esquissa un sourire. Non pas un sourire mauvais ni même un sourire triomphant, non... Un sourire serein.

Au bout de cinq minutes, elle retira la cuillère à thé. Deux sucres. Voilà, c'était prêt.

Lorsqu'elle pénétra dans le salon, elle trouva Sylvain installé sur le divan, à la place qu'elle-même occupait quelques instants auparavant aux côtés de Laetitia. Celle-ci avait cessé de pleurer et regardait dans le vide, les yeux rouges, cernés d'ombre. Ils restaient silencieux.

Sylvain se contentait de fixer ses pieds, levant par intermittence un œil confus vers Laetitia qui semblait ne rien remarquer.

L'espace d'un instant, Tiphaine crut que Sylvain avait parlé à leur voisine et la crainte de cette éventualité la remplit d'effroi. Elle se pressa de les rejoindre, tentant par sa présence d'attirer l'attention de son mari. Celui-ci leva la tête à son arrivée et leurs yeux se croisèrent.

Au regard qu'il lui jeta, elle comprit qu'il n'avait rien divulgué. Et qu'il la suivrait jusqu'au bout.

— Tiens, Laetitia. Bois ça. Ça t'aidera à dormir.

La jeune femme tressaillit, paraissant revenir d'une autre réalité tandis que Tiphaine s'agenouillait à sa hauteur en lui tendant la tasse.

— C'est quoi ? demanda-t-elle d'une voix rauque, presque engourdie.

— Une tisane. Menthe, tilleul, verveine. Ça te fera du bien.

Elle s'en saisit, la porta à ses lèvres, en but une infime gorgée. Puis elle ébaucha le geste de la reposer.

D'un mouvement de la main, Tiphaine l'exhorta à boire encore.

Laetitia obtempéra sans rechigner, indifférente à ce tout ce qui l'entourait. Elle but une seconde gorgée, plus large celle-là, puis une autre, toujours encouragée par Tiphaine qui l'incitait, d'une main douce mais ferme, à porter la tasse à ses lèvres.

— Il faut tout boire, murmurait celle-ci d'une voix apaisante. Tu te sentiras beaucoup mieux après.

Et Laetitia but la tasse jusqu'à la dernière goutte.

Elle vit le visage de Tiphaine tout proche d'elle, qui lui souriait avec gentillesse. Elle la vit lui reprendre la tasse vide des mains et la poser avec délicatesse sur la table du salon. Juste à côté d'un carnet. Le carnet de santé d'un enfant. Au nom de Maxime Geniot.

La présence du livret lui déchira le cœur, et le souvenir d'un petit garçon qu'elle ne serrerait plus jamais dans ses bras, qu'elle ne verrait plus rire, qu'elle ne regarderait plus dormir lui étreignit la poitrine avec une telle violence qu'elle crut qu'elle allait suffoquer. Puis, durant un instant qui lui sembla une éternité, les visages de Milo et Maxime se confondirent dans le voile déformant de ses larmes. Elle pensa un moment que sa raison se jouait d'elle, puis ses paupières pesèrent plusieurs tonnes. Quelques minutes plus tard, elle dormait d'un sommeil lourd et sans rêve.

Dès qu'elle eut l'assurance que la jeune femme ne se réveillerait pas de sitôt, Tiphaine repartit vers la cuisine pour en revenir quelques instants plus tard, tenant dans ses mains des tubes et des boîtes de comprimés, du Zoldipen, du Xanax et de l'Effexor, ainsi qu'un Tupperware contenant une poudre grise de sa composition. Une mixture qui, elle le savait, ne laisserait aucune chance à Laetitia.

— Viens m'aider, demanda-t-elle à Sylvain.

Celui-ci était resté auprès de Laetitia et semblait la surveiller. Il se redressa, rejoignit sa femme avant d'entreprendre d'extirper un à un les cachets de leurs étuis d'aluminium. Tiphaine s'en empara alors et les écrasa aussitôt. Elle ajouta ensuite une bonne dose de Primpéran, connu pour ses propriétés anti-vomitives.

— Apporte-moi la bouteille de whisky.

Sylvain s'exécuta. Dès qu'elle obtint ce qu'elle avait demandé, Tiphaine versa le liquide ambré dans un verre, y ajouta la poudre des comprimés, celle du Tupperware et mélangea le tout.

— Redresse-la.

Elle s'exprimait d'une voix concentrée, dénuée de violence ou d'agressivité. Sylvain se dirigea vers

Laetitia, toujours affalée sur le divan et, la saisissant par les épaules, la redressa en position assise.
Tiphaine les rejoignit.

Avec une infinie précaution, elle fit ingurgiter à la jeune femme son breuvage mortel par petites gorgées méthodiques, lui faisant basculer la tête en arrière entre chaque lampée afin d'aider le liquide à descendre au fond du gosier.

Lorsque le verre fut vide, Tiphaine et Sylvain observèrent avec curiosité le corps inerte de Laetitia. Elle semblait dormir profondément, le visage d'une pâleur effrayante, recouvert d'une pellicule de sueur qui accentuait encore la lividité de son teint.

Peu à peu, sa respiration devint irrégulière, soulevant sa poitrine par saccades inégales tandis que l'intervalle entre chaque souffle devenait, au fil des secondes, de plus en plus long.

Au bout d'une vingtaine de minutes, elle cessa de respirer tout à fait.

Chapitre 56

Affolé par des conjectures qui le terrifiaient, David suppliait son avocat de le sortir de là, faisant valoir l'urgence de récupérer son fils au plus vite. L'homme de loi tentait d'y voir clair, entre les cris d'innocence de son client quant aux soupçons qui pesaient sur lui et ses accusations à l'encontre d'une voisine, celle-là même chez qui il avait conduit son enfant avant d'être emmené par les policiers...

— Pourquoi avoir confié votre fils à une personne que vous suspectez de meurtre ?

— Je ne savais pas encore qu'Ernest avait été empoisonné !

— Qu'est-ce que ça change ?

— Tiphaine est une spécialiste des plantes, elle prépare des décoctions capables de tuer un cheval en quelques minutes...

Et David de résumer l'incident qui, dix jours auparavant, avait failli coûter la vie à Milo.

— Attendez... C'est votre fils qui a avalé un truc auquel il n'aurait pas dû toucher, ou c'est votre voisine qui l'a empoisonné ?

— Ma femme pense que c'est elle.

— Et vous ?

— J'étais persuadé du contraire. Maintenant, avec cette histoire de digitoxine, je...

— Admettons. Dans ce cas, la question est simple : quelles raisons avait-elle de tuer Ernest Wilmot ?

Surpris par une si légitime interrogation, David garda le silence quelques longues secondes, durant lesquelles il chercha le mobile de Tiphaine.

— Je l'ignore, dut-il avouer au bout d'un moment. Mais ce que je sais, c'est qu'il faut absolument que je sorte d'ici.

— Je m'en occupe.

L'avocat se leva et tambourina avec force à la porte de la cellule. Au policier qui vint lui ouvrir, il signifia le désir de son client de reprendre l'interrogatoire. Ils furent donc conduits dans une autre salle où ils patientèrent encore quelques instants avant l'arrivée des lieutenants Petraninchi et Bonaud

Maître Renard avait vu juste : les charges retenues contre David étaient trop faibles pour le maintenir en garde à vue et le simple fait de posséder des fleurs en pot sur sa terrasse, fussent-elles toxiques, ne constituait en rien une preuve recevable.

Quarante-cinq minutes plus tard, David quittait la préfecture de police et se précipitait chez lui.

Chapitre 57

Les Geniot n'eurent aucun mal à transporter Laetitia jusqu'à son salon : petite et légère, elle pesait à peine dans les bras de Sylvain. La seule difficulté qu'ils rencontrèrent fut lorsqu'il fallut la soulever par-dessus la haie qui séparait leurs deux jardins : le risque de passer par la rue et de se faire surprendre par un voisin était trop grand.

Tiphaine passa la première. S'aidant d'une chaise, elle enjamba le feuillage et se rétablit avec souplesse de l'autre côté. Sylvain entreprit alors de hisser Laetitia jusqu'au faîte de la haie, à la suite de quoi Tiphaine se chargea de la réceptionner sans blesser le corps. Puis ce fut au tour de Sylvain de la rejoindre.

Comme ils l'avaient espéré, la porte-fenêtre du salon n'était pas fermée à clé, ce qui, dans le cas contraire, n'aurait pas été dramatique puisque David leur avait confié son trousseau.

Une fois dans la pièce, ils hésitèrent un court moment sur l'endroit où mettre le corps.

Le plus logique selon Tiphaine était le canapé.

Se rangeant à son avis, Sylvain y déposa précautionneusement son fardeau avant de l'étendre de tout son long, puis Tiphaine disposa à ses côtés quelques boîtes et tubes ouverts de barbituriques ainsi que la bouteille de whisky à présent vide.

Enfin, ils prirent quelques instants pour souffler et observer la scène, soucieux de n'omettre aucun détail qui aurait pu les confondre. Ou du moins écarter la thèse du suicide.

— Attends ! s'exclama soudain Tiphaine.

— Quoi ?

— J'arrive tout de suite !

Elle fila ventre à terre vers la terrasse et refit le chemin en sens inverse. Quelques minutes plus tard, elle était de retour, avec, à la main, son portefeuille.

— Qu'est-ce que tu fais ? s'enquit Sylvain à la fois inquiet et intrigué.

Sans répondre, elle ouvrit l'étui de cuir d'où elle retira une feuille de papier pliée en deux qu'elle tendit à son mari. Celui-ci la déplia avant d'y lire deux simples mots, de toute évidence écrits de la main de Laetitia.

« Pardonne-moi. »

— C'est quoi ? demanda-t-il, plutôt surpris.

— Un mot qu'elle m'a écrit il y a quelque temps...

— Pourquoi te demandait-elle de lui pardonner ?

— Je te raconterai plus tard. Ne restons pas là, David peut rentrer à tout moment.

Elle posa le billet sur la table basse à côté du canapé, bien en évidence, et jeta un dernier coup d'œil à l'ensemble de la pièce. Puis ils quittèrent la maison en prenant soin de refermer la porte-fenêtre derrière eux.

Chapitre 58

Tiphaine avait eu raison de ne pas vouloir traîner chez les Brunelle : ils n'avaient pas sitôt regagné leur domicile que David sonnait et tambourinait à leur porte. Un peu affolée par la précipitation des événements, elle prit toutefois le temps d'imbiber un large morceau de coton d'un puissant soporifique – une autre de ses préparations – qu'elle confia ensuite à Sylvain avant de se diriger vers la porte.

— Tu dois lui sauter dessus dès qu'il sera rentré dans le hall, précisa-t-elle à voix basse. Il faut le prendre par surprise sinon on n'y arrivera pas !

— C'est bon, je sais quoi faire !

Sylvain se posta dans le recoin de la porte d'entrée afin d'être dissimulé par le battant une fois celui-ci ouvert. Ils échangèrent un dernier regard, s'assurant l'un et l'autre qu'ils étaient prêts, puis Tiphaine ouvrit la porte.

Elle n'eut pas le temps d'ouvrir la bouche que déjà David se jetait sur elle, l'empoignant par le col de son chemisier et la collant contre le mur qui longeait le hall. Il la maintint ainsi contre la cloison et, jouant sur l'effet de surprise, parvint à plaquer son avant-bras sur la gorge de la jeune femme afin d'accroître encore la pression. Tiphaine ne put que s'agripper des deux mains au bras de David, tentant désespérément de trouver un peu d'air.

— Où est Milo ? éructa-t-il, le visage à quelques centimètres de celui de sa voisine.

Incapable de parler, Tiphaine s'agita autant qu'elle put, espérant parvenir à se dégager. David relâcha brièvement son étreinte, juste le temps de la laisser répondre.

— David, qu'est-ce qui te prend ?

— Où est Milo ? répéta-t-il en perdant le peu de sang-froid qu'il lui restait.

— En haut... Il dort ! parvint-elle à articuler, non sans effort.

David accrut encore la pression de son bras tout en plongeant un regard suspicieux dans celui de Tiphaine.

— Écoute-moi bien, espèce de salope, je ne sais pas ce que tu as fait à Ernest, ni même pourquoi tu l'as fait, mais je sais que c'est à cause de toi qu'il est mort. Alors maintenant...

Il n'eut pas le temps d'achever sa phrase que Sylvain surgit derrière lui. L'agrippant d'un geste ferme par le cou, il lui plaqua le coton imbibé du soporifique sur le nez. Surpris, David lâcha Tiphaine et tenta de faire basculer Sylvain en pivotant violemment sur lui-même. Il parvint à le déséquilibrer quelque peu mais pas assez pour lui faire lâcher prise. Sylvain s'agrippa à ses épaules, ce qui lui permit d'accompagner son mouvement. Furieux de s'être laissé surprendre comme un débutant, David se débattit avec rage, malmenant son agresseur et se projetant en arrière contre le mur. À chaque ruade, Sylvain se faisait écraser entre la cloison et le corps de David, mais il tint bon.

Tiphaine, qui s'était remise de l'agression de David, regardait, horrifiée, le combat entre les deux hommes. Elle fut un instant tentée de s'emparer d'un objet lourd afin de prêter main-forte à son mari en assommant David, mais un coup porté à la tête anéantirait leur plan. Il ne fallait en aucun cas laisser la moindre trace d'agression.

Le soporifique fit enfin son effet : les assauts de David devinrent de moins en moins violents et, bientôt, il tituba plus qu'il ne se débattit. Encouragé par la perspective de vaincre, Sylvain resserra la pression sur le nez.

Au bout d'une longue minute, David s'écroula sur le sol, entraînant Sylvain avec lui.

Tiphaine se précipita pour aider son mari à se relever : celui-ci avait plus ou moins amorti la chute de sa victime.

— Tu vas bien ?

Sylvain hocha la tête, reprenant son souffle et ses esprits.

— Il a bien failli tout faire foirer...

— Ne traînons pas ! Il faut le ramener chez lui !

Faire basculer David par-dessus la haie du jardin fut beaucoup moins aisé que pour Laetitia. À tel point que Tiphaine fut un instant tentée de passer par la rue. Mais le risque était trop grand : si elle et Sylvain pouvaient guetter les allées et venues depuis le trottoir, ils n'avaient en revanche aucune assurance de ne pas être surpris par un voisin qui les observerait depuis une fenêtre. Foutus voisins ! À regret, Tiphaine comprit qu'ils n'avaient pas le choix. La jeune femme n'avait pas assez de force pour réceptionner le corps de David de l'autre côté de la haie, or si Sylvain le lâchait afin de lui prêter main-forte, le corps allait à coup sûr s'effondrer sur la terrasse, provoquant sur son corps des hématomes suspects.

— Il faudrait quelque chose pour amortir sa chute, fit remarquer Sylvain. On le hisse ensemble jusqu'au-dessus de la haie, puis on le laisse retomber de l'autre côté.

— Un matelas !

Ils procédèrent ainsi, ce qui facilita l'opération.

Une fois chez les Brunelle, il leur fallut encore hisser David jusqu'à l'étage. Ils passèrent devant le corps de Laetitia allongée sur le divan, les barbituriques éparpillés au sol, le mot toujours sur la table. Une fois dans le hall d'entrée, Sylvain prit David par les épaules, Tiphaine se chargea des pieds. L'escalade fut éreintante, mais ils parvinrent en haut des escaliers. Là, pendant que Sylvain retournait chez eux pour y chercher une corde, Tiphaine reprit son souffle. Elle en profita pour redescendre au rez-de-chaussée et déposer le trousseau de clés de David sur le meuble du hall.

Dès que Sylvain fut de retour, ils attachèrent solidement la corde à la rambarde de sécurité qui courait le long du corridor menant aux chambres, puis ils firent un nœud coulant à l'autre extrémité avant d'y passer la tête de David.

Enfin, rassemblant leurs dernières forces, ils hissèrent le corps par-dessus la rampe et le poussèrent dans le vide.

Chapitre 59

— Réveille-toi, Milo, il est l'heure d'aller à l'école...

Les yeux du petit garçon papillonnèrent. Il bâilla puis s'étira avant de s'éveiller tout à fait.

— Tu as bien dormi ?

L'enfant acquiesça d'un mouvement de tête.

— Qu'est-ce que tu veux pour ton petit déjeuner ?

— Des crêpes !

Tiphaine sourit.

— Allons-y pour des crêpes ! Tu veux que je t'aide à t'habiller ?

— Je sais m'habiller tout seul ! protesta-t-il d'une voix encore ensommeillée.

— J'en suis persuadée, mon cœur. Allons, lève-toi. Je t'attends en bas.

Elle s'apprêta à quitter la chambre.

— Où sont maman et papa ? demanda Milo en reprenant possession de ses souvenirs.

Tiphaine se tourna vers lui et lui adressa un sourire rassurant.

— Ils ne sont pas encore rentrés... Mais ne t'inquiète pas, je suis certaine qu'ils ne vont pas tarder.

Le regard de l'enfant s'assombrit, forçant Tiphaine à revenir auprès de lui.

— Qu'est-ce qui ne va pas, mon grand? lui demanda-t-elle en lui caressant doucement la tête.

— J'ai envie de mon papa et ma maman...

— Je sais, Milo... Écoute, voilà ce qu'on va faire . tu vas t'habiller, pendant ce temps-là je te prépare de bonnes crêpes, je te conduis à l'école et je suis persuadée qu'à 4 heures, c'est maman qui viendra te chercher. D'accord?

L'enfant retrouva aussitôt le sourire.

— Et puis, tu n'es pas bien ici, chez Tatiphaine et Sylvain?

— Si!

Elle prit le petit garçon dans ses bras et le serra contre elle.

— Tout va bien se passer, tu verras, murmura-t-elle en le couvrant de baisers.

Lorsqu'elle pénétra dans la cuisine quelques minutes plus tard, Sylvain était en train de préparer le café. Il s'informa aussitôt de l'humeur de l'enfant.

— Il a bien dormi, résuma Tiphaine.

— Il a réclamé ses parents?

— Bien sûr. Le contraire aurait été étonnant. Mais il s'habituera vite.

Elle s'approcha de son homme qui lui tournait le dos et se laissa aller contre lui, l'enserrant de ses bras dans un soupir de bien-être.

— On est presque à la fin... Il nous reste juste la dernière étape à franchir, mais le plus difficile est derrière nous. Tout va bientôt redevenir comme avant.

Puis, esquissant un lumineux sourire, elle ajouta :

— Je te l'avais bien dit, que l'occasion finirait par se présenter... Il suffisait d'être patients !

Sylvain se retourna et répondit à son étreinte.

— C'est vrai, tu avais raison, une fois de plus. Mais je reste persuadé que la mort d'Ernest était tout à fait inutile, objecta-t-il avec une pointe de reproche dans la voix.

— Faux ! Ernest était le parrain de Milo. S'il avait voulu en avoir la garde, il aurait pu nous créer des soucis.

— Ernest n'aurait jamais réclamé la garde de Milo, il détestait les gosses !

— Oui, mais celui-là, il l'aimait. Et je ne voulais prendre aucun risque.

En effet, elle n'en avait pas pris beaucoup : lorsque Ernest avait quitté la fête d'anniversaire de Milo, elle l'avait intercepté dans la rue, puis invité à prendre une tasse de café chez eux, prétextant avoir besoin de lui parler. L'extrait de digitale qu'elle avait mélangé au café du vieil homme avait fait tout le reste.

— Ce n'est pas parce que tu es la marraine de Milo que tu en auras la garde... objecta Sylvain.

— Je le sais. Mais il n'a plus que nous. Tout le monde pourra en témoigner.

— Les gens savent qu'on n'était plus en très bons termes depuis quelque temps...

— Les gens nous associent aux Brunelle. Pour tout le monde, que ce soit dans le quartier ou à l'école des enfants, nous sommes inséparables. Tous les amis connaissent des passages à vide. Et ça arrangera tout le monde, le juge comme les services sociaux. Et puis on se battra, n'est-ce pas ?

Sylvain la considéra d'un air soucieux. Comme il ne répondait pas, Tiphaine réitéra sa question :

— On se battra, n'est-ce pas ? On se battra pour Milo, pour nous, pour redevenir une vraie famille...

— Oui, mon amour, murmura-t-il enfin en l'embrassant sur le front.

Puis, se libérant de l'étreinte avec douceur, il acheva de mettre le café dans le filtre du percolateur.

— À quelle heure comptes-tu appeler la police ? demanda-t-il en enclenchant le bouton de la machine.

— Vers midi.

— Tu crois vraiment qu'ils croiront au suicide ?

Tiphaine fit la moue, épaules et sourcils haussés dans un rictus d'évidence.

— Je ne vois pas très bien à quelles autres conclusions ils pourraient aboutir...

Sylvain ouvrit le placard du haut dans lequel il s'empara de trois assiettes et de trois tasses.

— On aurait peut-être dû réessayer avec tes poudres de perlimpinpin.

— Trop risqué, rétorqua Tiphaine tout en prenant le lait dans le frigo qu'elle déposa ensuite sur la table. Tu as vu ce que ça a donné la dernière fois : Milo a bien failli y passer !

La jeune femme frissonna en songeant au drame que cela aurait été si Milo avait succombé à la mixture qu'elle avait en vérité préparée pour David et Laetitia. Un mélange des plantes médicinales les plus puissantes et les plus toxiques qu'elle possédait. Quelle imprudence d'avoir laissé le bol à la portée du petit garçon ! Par souci d'efficacité, elle avait soigneusement préparé son poison qu'elle avait ensuite posé à proximité, de manière à l'avoir sous la main à tout moment. Qu'importe que David ou Laetitia l'aient ou non remarqué, il y avait toujours dans la cuisine de Tiphaine des bols, des pots, des récipients en tous genres contenant poudres, plantes séchées, tisanes, écorces, extraits de végétaux ou décoctions.

Sylvain disposa un couteau à côté de chaque assiette.

— Tu as raison, acquiesça-t-il. J'espère juste qu'il n'y aura pas de problème avec cette histoire de suicide.

— Fais-moi confiance. J'ai pensé à tout.

Tout en jetant un coup d'œil circulaire à la table du petit déjeuner pour s'assurer qu'il n'y manquait rien, Sylvain fit remarquer :

— Le crime parfait n'existe pas.

Il constata alors qu'il manquait le pain.

— Alors disons que nous venons de l'inventer, déclara Tiphaine en déposant une baguette au centre de la table.

Puis elle se tourna et, rouvrant le frigo, elle soupira :

— Bon, où est la pâte à crêpes, maintenant ?

Chapitre 60

Tiphaine téléphona vers midi à la brigade de gendarmerie.

Elle était sans nouvelles de ses voisins depuis la veille, des amis très proches qui lui avaient confié la garde de leur enfant. Elle s'inquiétait. Le couple allait mal ces derniers temps, les disputes se succédaient, elle les avait souvent entendus se déchirer à travers la cloison du mur mitoyen. Hier, après une énième querelle, assez violente, Laetitia était même partie en claquant la porte. Son amie était dépressive depuis quelques semaines, elle avait des réactions excessives, à la limite de la paranoïa, ce que son mari supportait de moins en moins. Et hier, justement, suite aux délires incessants de sa mère, leur petit garçon de 7 ans avait fait une fugue. Les lieutenants Chapuy et Delaunoy pouvaient témoigner de la fragilité de la santé mentale de Laetitia ainsi que des rapports tendus entre les époux Brunelle. Une fois l'enfant retrouvé, la discussion avait dégénéré et le couple s'était une nouvelle fois rejeté la faute, provoquant ainsi le départ de Laetitia. Le problème, c'est que plus tard dans la soirée deux lieutenants de police s'étaient présentés à leur domicile au sujet de la mort d'un de leurs amis, et David avait été contraint de les suivre jusqu'à la préfecture. Il lui avait donc confié leur fils, Milo, avec ses clés, au cas où sa femme reviendrait.

Laetitia était rentrée aux alentours de 20 h 30 et, trouvant porte close, elle avait tout naturellement sonné chez ses voisins. Lorsque Tiphaine lui avait ouvert, elle avait découvert son amie dans un état déplorable : les yeux rougis, les traits tirés, épuisée, le moral au plus bas... Tiphaine l'avait alors informée que David avait dû suivre deux officiers de police au sujet du décès d'Ernest. L'information avait provoqué une véritable panique chez Laetitia qui avait exigé les clés de son mari afin de pouvoir rentrer chez elle. Tiphaine les lui avait donc remises. Puis elle l'avait rassurée quant à Milo qui dormait à l'étage. Laetitia avait préféré ne pas réveiller son enfant et le laisser dormir tranquillement jusqu'au lendemain.

Elle était ensuite rentrée chez elle...

Et depuis, plus de nouvelles. Ni de Laetitia, ni même de David.

À l'autre bout du fil, le gendarme indiqua à Tiphaine qu'étant majeurs, David et Laetitia n'étaient pas tenus de l'informer de tous leurs déplacements. Et qu'à quelques heures d'intervalle, on ne pouvait pas encore parler de disparition inquiétante.

Tiphaine rétorqua qu'il était pourtant convenu que l'un ou l'autre vienne récupérer le garçon dès le lendemain matin pour le conduire à l'école. Que le taxi de David était toujours stationné dans une rue adjacente. Et que lorsqu'elle allait sonner chez ses voisins, personne ne venait lui ouvrir. De surcroît, ni l'un ni l'autre ne répondaient au téléphone, que ce soit sur le fixe ou sur les portables. Alors si l'on ne pouvait pas encore l'aider, était-il du moins possible de savoir si David était toujours en garde à vue et, dans le cas contraire, depuis combien de temps exactement était-il parti ?

On la fit patienter quelques instants.

Puis on lui répondit que David avait quitté la préfecture la veille en fin de soirée.

Tiphaine feignit un regain d'inquiétude. Pourquoi ne s'était-il pas manifesté dès sa sortie de garde à vue comme il le lui avait promis ? Et ce matin, pourquoi aucun des deux parents n'était-il venu chercher l'enfant ?

Le gendarme lui fit savoir que si elle voulait faire une déclaration de disparition inquiétante, elle devait se rendre au commissariat de police ou à la brigade de gendarmerie les plus proches. Tiphaine remercia son interlocuteur, coupa la communication et se prépara à sortir. Plus vite l'affaire serait découverte, plus tôt on pourrait tirer un trait sur tout cela et reprendre le cours de l'existence.

Le caractère inexpliqué de la disparition d'un couple qui pourtant aurait dû se manifester auprès de leur enfant alerta sur-le-champ les policiers. L'état dépressif de Laetitia fut pour beaucoup dans leur réactivité : les agents Chapuy et Delaunoy confirmèrent l'état psychologique vulnérable de la jeune femme. Une équipe de deux personnes accompagna donc Tiphaine jusqu'au domicile des Brunelle.

Tiphaine était-elle certaine d'avoir vu Laetitia rentrer chez elle ?

Celle-ci confirma sa déclaration sans l'ombre d'une hésitation : la dernière fois qu'elle avait vu sa voisine, elle se tenait sur le pas de sa porte tandis que Laetitia insérait les clés dans sa serrure, juste avant de disparaître à l'intérieur de sa maison.

Après avoir sonné et frappé en vain à la porte, les deux policiers décidèrent de faire appel à un serrurier.

Un moment plus tard, ils pénétraient chez les Brunelle.

La thèse du suicide fut rapidement confirmée et résonna même, aux yeux des lieutenants Bonaud et Petraninchi, comme un aveu de culpabilité de la part de David Brunelle.

Quant à Laetitia Brunelle, était-elle complice ou simplement spectatrice ? Dans un cas comme dans l'autre, elle n'avait pu supporter le poids de la faute, que ce soit la sienne ou celle de son mari. De retour chez elle, apprenant que celui-ci avait été emmené par la police et affaiblie par la dépression, elle avait dû céder à la panique avant de commettre l'irréparable. Le mot écrit de sa main et retrouvé juste à côté d'elle en attestait.

Lorsque David était rentré à son tour, le sol s'était effondré sous lui : il avait très certainement retrouvé le corps sans vie de sa femme, le mot d'excuse qui lui était adressé, les barbituriques éparpillés sur le tapis. L'épreuve de la garde à vue avait sans doute déjà cruellement entamé ses ressources. La crainte d'être confondu, l'angoisse de retourner en prison... En rentrant chez lui, le pire l'attendait : sa femme s'était donné la mort et son patron venait de le renvoyer comme en attestait le message sur le répondeur.

Il avait tout perdu.

Alors, plutôt que de tenter de surmonter l'insurmontable, il s'était donné la mort.

Chapitre 61

Compte tenu de l'urgence de la situation, Justine Philippot débloqua rapidement un rendez-vous afin de recevoir au plus vite le jeune Milo, accompagné de sa marraine et du mari de celle-ci. Elle avait appris le drame qui avait frappé l'enfant et, même si elle fut surprise de recevoir un coup de téléphone de Tiphaine, elle n'en fut pas moins rassurée de savoir que celle-ci prenait à cœur la santé mentale de son filleul. À situation exceptionnelle, mesures exceptionnelles : la pédopsychiatre lui proposa une courte entrevue sans le petit garçon, à la suite de quoi elle les recevrait tous les trois pour entamer une thérapie sur le long terme. Tiphaine accepta avec soulagement.

— Pour un enfant, le deuil de ses parents est un processus très intime, attaqua d'emblée Justine Philippot dès que Tiphaine et Sylvain eurent pris place en face d'elle. Dans le cas de Milo, les choses sont d'autant plus complexes que cela intervient à la suite de deux autres décès dans son entourage proche. Le fait que ses parents aient choisi de se donner la mort ne va pas non plus faciliter les choses… Que va-t-il se passer pour lui ? Je veux dire : où va-t-il aller ? Qui va s'occuper de lui ?

— Pour le moment, il est chez nous, répondit simplement Tiphaine. Nous avons décidé de faire une demande d'adoption.

— C'est une bonne chose. L'arracher à son environnement, son quartier, son école, tout ce qui lui reste de stable et de familier aurait été catastrophique. Il faut savoir que, si chaque enfant aborde le processus de deuil à sa manière, il va néanmoins avoir tendance à calquer sa façon de le vivre sur celle de son entourage proche. Vos réactions par rapport au décès de ses parents vont donc être d'une importance capitale dans les prochaines semaines. Que lui avez-vous raconté ?

— Que ses parents avaient eu un accident, avoua Sylvain.

— Grossière erreur ! s'exclama la pédopsychiatre sans ménagement. Il faut lui dire la vérité ! Il faut lui expliquer les choses telles qu'elles se sont déroulées, avec des mots adaptés à son âge, mais sans lui mentir. C'est essentiel. Son processus de deuil ne pourra pas se construire sur un mensonge !

— Comment voulez-vous qu'un petit garçon de son âge puisse comprendre que ses deux parents aient choisi de se donner la mort ? protesta Tiphaine.

— C'est pourtant ce qui s'est passé. Et plus vite il l'intégrera, plus vite il pourra avancer. Il va aussi falloir le rassurer : un enfant qui vient de perdre ses parents développera des angoisses quant à sa propre survie. Qui lui donnera à manger, qui le conduira à l'école ? Il faut impérativement le sécuriser et répondre à toutes ses questions, l'assurer qu'il continuera à être aimé et qu'à l'avenir, c'est vous qui vous occuperez de lui.

— Nous le faisons tous les jours, certifia Sylvain.

— Autre chose, poursuivit Justine Philippot. Milo va sans doute avoir peur de mourir : pour un enfant de son âge confronté de manière si violente à la mort, celle-ci représente une maladie contagieuse qui peut s'attraper comme un rhume. Dans le cas de Milo, c'est

315

d'autant plus vrai qu'il a déjà perdu des proches. Il se sentira donc menacé. Il peut en plus avoir tendance à se sentir semblable à ses parents et, à ce niveau-là, il faudra être très vigilants : dites-lui que la mort ne s'attrape pas comme une maladie et, surtout, qu'il est une autre personne, qu'il n'est pas comme son papa et sa maman.

Tiphaine et Sylvain acquiescèrent chacun d'un signe de la tête.

— Vous pensez qu'il va s'en sortir ? demanda Tiphaine sans dissimuler son inquiétude.

— Si vous êtes là pour l'aider, il s'en sortira. Mais je ne vous le cache pas, le processus sera long et difficile. Il va porter la responsabilité de toutes les morts qui se sont succédé autour de lui en si peu de temps, il va se sentir différent des autres enfants de son âge, et si chaque étape de son deuil n'est pas soutenue par des personnes aimantes et disponibles, les conséquences peuvent le conduire à des difficultés psychologiques importantes.

— Nous ferons tout ce qu'il faudra, déclara Sylvain en s'emparant de la main de sa femme qu'il serra fort dans la sienne. Nous sommes prêts à entamer une thérapie avec lui.

— Ce ne sera pas superflu. Mais avec beaucoup d'amour, de patience et de compréhension, il s'en sortira.

Justine Philippot les considéra gravement avant de sourire avec une tristesse empreinte de fatalisme. Puis elle murmura :

— Il a de la chance de vous avoir, ce petit bonhomme.

Carnet de santé

7-8 ans

Votre enfant a besoin de savoir que vous vous intéressez à son travail et que vous avez confiance dans l'école que vous avez choisie. N'hésitez pas à dialoguer avec ses enseignants.

Regain d'intérêt de M. pour l'école. Thérapie avec pédopsy en bonne voie, M. est très réceptif. Bon sommeil. Appétit… peut mieux faire.

Votre enfant choisit lui-même ses amis. Permettez-lui de les retrouver en dehors de l'école ainsi que de les inviter à la maison, même si cela crée du désordre

M. semble bien s'entendre avec une petite fille de sa classe, Lola… Amoureux ? M. est plutôt secret et élude mes questions.

M. est régulièrement invité à des anniversaires. Examen de contrôle chez le docteur Ferreira : tout va bien.

Notes du médecin :

Poids : 23 kg 500. Taille : 125 cm.

Verrue à la voûte plantaire.

Carence en vitamine D : prendre D Cure 1X/mois pendant 4 mois.

Bon état de santé général.

Composé par Facompo
5, rue Calmette-et-Guérin, 14100 Lisieux

Imprimé en France par

FIRMIN-DIDOT

à Mesnil-sur-l'Estrée en juillet 2012
N° d'impression : 113826

FLEUVE NOIR
12, avenue d'Italie
75627 Paris Cedex 13

Dépôt légal : avril 2012
Suite du premier tirage : juillet 2012
R09418/04